Mair Fars the Paper?

*anither year
in the life of
Dod 'n' Bunty*

by

BUFF HARDIE

of

SCOTLAND THE WHAT?

1986
ABERDEEN JOURNALS LIMITED

What the Press said about 'Far's the Paper' (1985):

'This penetrating insight into life in the oil-rich Aberdeen of the 1980's is essential for any serious student of sociology who has a table with one leg shorter than the other three.'
Times Educational Supplement

'Fit a rare laugh.'
Bernard Levin, Observer

'Highly recommended.'
Insomniacs' Weekly

'A miner classclic.'
The Grauniad

ISBN No. 0 9510642 2 3

Printed in Great Britain
by W. M. Bett Ltd, Tillicoultry

Preface

'A lovely name. Strangely evocative. Poetic almost. Part of the rich and mysterious tapestry of the North-east.' Thus, on 12 November, 1985, did Dod refer to Isaac Benzie's, one of several Aberdeen institutions which either disappeared or came under threat in the period from June, 1985 to June, 1986. That is the period covered by this book, which is a further collection of conversations between Dod and Bunty, the average and yet unique Aberdeen couple, who are themselves part, indeed the crucial part, of that rich tapestry.

It has been an eventful year for Dod and Bunty and for their immediate circle: their daughter Lorraine and her husband Alan have survived their first year of marriage, the teachers' strike, and the efforts of Alan, an art teacher, to paint the lobby; their son Gary has become a father, and is now engaged to be married; their friend Frunkie Webster has the warm memory of an illicit, if Platonic, romance at the Labour Party Conference to compensate him for his failure to make any significant advance in his political career and his disappointment at travelling twice to Hampden without seeing any of the six goals scored by Aberdeen in the two Cup Finals they contested in the course of the season.

For Dod and Bunty themselves the year has brought the whole gamut of emotions. For Bunty, of course, the predominant one, the one that has banished all others, has been the unalloyed joy of grandparenthood. Dod, on the other hand, has had his share of less happy emotional experiences – the chagrin of a duplicated Christmas present, the embarrassment of apprehension by a Royal detective, the sorrow of an England win in the World Cup, the fear of having radioactivity in his back green.

The conversations recorded in this book reveal how in tune Dod and Bunty are with all that is going on around them, in Aberdeen and on the wider national and international scenes. The topics they discuss range from the heating arrangements at the Geneva summit, to Leon Brittan's face, to the dèbt that Annie Lennox owes to the High School, to the harrowing consequences of the change in the bucket day. Where criticism is necessary, for example of Hugh McIlvanney's journalistic ability or Marks and Spencer's marketing techniques, it is scathingly forthcoming. How the Queen was cheeky to Mrs Thatcher; how Colonel Gaddafi saved the Trades Fortnight; how an interest in astronomy got Frunkie out of trouble; how Frunkie and Dod first met; how Dod and Bunty first met; enter within, and all will be revealed.

Mair Far's the Paper?

Council union bids to kick out Masons

COUNCIL workers are to be asked to agree to a move to restrict the role of Freemasons in official business.

Members of the white-collar local government union, Nalgo, will be asked next week to back a policy outlawing involvement with the secret society.

If they agree the union will pressure local authorities to take business involving job appointments and contracts away from Masons.

It will also call for union members to quit their Lodges and for officials and councillors to declare their involvement.

Nalgo's 2150 members

in Grampian Regional Council were asked to back a similar local move last month — but not enough turned out for a meeting to vote on it.

Next week a similar move will be made at the union's annual conference in Blackpool and the Grampian members could re-think the issue later this year.

If Harry thocht Pedroza's legs wis weak, I dinna ken fit he wid've made o' mine

Far's the paper?

Jist a minute Dod. There's a lot in it the nicht. I'm readin' this tribute tae Lloyd George Broon.

No, no, Bunty. Nae Lloyd George Broon. 'Lord' George Broon.

It says here he could never hiv been leader o' the Labour Party, cos ower mony o' them thocht he wis beyond the pale.

I dinna ken aboot the pale, but he certainly took an affa bucket.

An' did ye see Roy Plomley's deid an' a'. I wis sorry aboot that.

Aye, ye'll never be on Desert Island Discs noo, Bunty. Hard lines. It must hiv been comin' up for your shottie. Come on, fit wid yer first record be? I ken, een o' yer Mantovanis.

Aye, I think so. In fact I micht tak' twa o' my Mantovanis. But I widna wint it tae be ower high class. I wid ha'e a mixture.

An' yer luxury article? Fit wid it be?

Could I ha'e a TV? Or wid 'at nae be possible in the South Seas?

Nae problem, Bunty. Ye could get Cable TV.

Could they get it tae a desert island? Miles fae civilisation?

Well they're gettin' it tae Bieldside an' Westhill.

Oh, well that's fine. 'cos I widna wint tae miss my Dallas. I believe they're gain' tae kill aff Bobby Ewing ony day now. So my mither wis sayin'. She's lookin' forward til't.

Oh, she enjoys a bit o' violence yer mither. I mean, fan I went tae my work on Monday mornin' naebody wid believe that my black ee had been caused by your mither on Setterday nicht demonstratin' fit she thocht McGuigan should hiv been daein' tae Pedroza.

Fit a fecht 'at wis. I must admit, the last twa or three rounds I was affa nervous.

No, I wis aye confident Barry wis gain' tae dae it. The only thing gain' against him wis the wye Harry Carpenter kept sayin' he wis gain' tae win. Ye'd think commentators wid ken by this time nae tae say things like that. I mean, an observation by Archie MacPherson that the Scottish defence is looking sound is the unfailing precursor of a goal for the ither team. Mind you' in Harry's case on Setterday I think his judgement was affected by the fact that he wis wearin' somebody else's bonnet. I've never seen him wi' yon bonnet on afore.

An' he kept gain' on aboot Pedroza's legs bein' weak. Ye could've fooled me, Dod. I just thocht tae mysel', 'I'll ha'e Pedroza's legs ony day'. I mean the wye my varicose veins wis yarkin' on Setterday — well, if Harry thocht Pedroza's legs wis weak I dinna ken fit he wid've made o' mine.

I will say yer mither enjoyed the boxin', Bunty. She wis affa disapinted it didna last a fortnicht like the snooker.

She'll be a' richt, though. She's got the cricket comin' up. She's hopin' for some mair Bodyline this sum-

YE'RE LUCKY IT'S ONLY ME AN' NAE BUNTY'S MITHER THAT'S HITTIN' YE.

mer. I quite enjoyed that on the TV last wik. I thocht five days wis a bit much, but I suppose if it's cricket it's got tae last five days.

Of course I saw Don Bradman's last innin's in this country, Bunty. It wis in Aiberdeen. In 1948. Me an' Frunkie Webster wis there. Then we went tae Frunkie's Uncle Hughie in Cranford Road for wir tea. Frunkie's aye been his favourite nephew. Fit a day that wis. Special grandstands on the reservoir. Thoosands o' spectators. I'm tellin' ye, if the folk that his the Mannofield chipper had managed tae get it opened in time for that match, they wid've been quids in. But of course in 1948 they'd jist started arguin' wi' the plannin committee.

Hey, Dod, fit dis this headline mean: 'Cooncil union bids to kick oot Masons'.

Well it's NALGO – ken? The white collar trade union. They wint tae keep the masons oot o' local government. And they dinna wint masons tae jine NALGO.

Ye mean they dinna wint jiners that are masons. Well, I can understand that.

For ony sake, Bunty. Hey, Frunkie Webster found himsel' in a tricky situation ower the heids o' this masons thing. This reporter boy phones him up an' asks him if, as an official of another trade union, he supported the NALGO position. Well, ye ken foo hot Frunkie is on trade union solidarity, but on this occasion he wis feart he micht be quoted, so he gave them a masterly 'No comment'.

Fit wye?

Because of four vital attributes of his Uncle Hughie in Cranford Road.

Fit's his Uncle Hughie got tae dae wi't?

No. 1, Uncle Hughie is a bachelor. No. 2, he's 96 next birthday. No. 3, he's weel-aff. An' No. 4, he's a Mason.

A snooper fae the Department of Stealth and Total Obscurity wid assess fit kind o' state you were in.

Far's the paper?

Here's it. Naething for ye in the Birthday Honours List again. Fit's Ray Reardon got an MBE for?

Playin' snooker.

Well, you must have played as much snooker as him in yer day. Fan we wis coortin', you wis aye keepin' me waitin' cos ye were playin' snooker in that place abeen Collie's.

Well, it's good for ye tae play sport fan ye're young. *Mens sana in corpore sano,* **as the French would say.**

Men's fit? 'At disna sound affa nice tae me.

You widna understand, Bunty. It's a quotation. I cam' across it in the Coronation edition o' the Illustrated London News that I was readin' in the doctor's waitin' room. It wis an article aboot the comprehensive education the Duke of Edinburgh had got at Gordonstoun. Mind you, I must say I'd never realised Gordonstoun wis a comprehensive.

It's a draughty hole o' a place, that waitin' room at the doctor's. Mrs Finlayson alang the road jist went tae the surgery tae ask the doctor tae come an' spik tae the Women's Guild and by the time she got in tae see him she wis absolutely smoarin', an' he'd tae pit her on a course o' antibiotics.

Which reminds me, Bunty, is there nae mair in the paper this wik aboot Norman Fowler's shak' up o'

5

the welfare services? I enjoyed 'at series last wik. 'At boy Fred Twine kens his stuff. Yes, Mr Twine knows the ropes, as ye micht say. Get it?

Eh?

Oh, for only sake, Bunty. I shouldna bother. A' my best Clive James jokes is jist wasted on you.

I didna funcy that series aboot the welfare services.

Well, I thocht it wid be affa dull, but it wis very interestin'. I mean, tak' the death grant.

I wish I could.

Very funny, Bunty. No, no. There's gain' tae be a means test.

Afore ye're allowed tae dee?

No, No. *Efter* ye dee.

Oh, so fit would happen if you wis tae dee, Dod?

Well, a snooper fae the Department of Stealth and Total Obscurity wid come tae assess fit kind o' state you were in.

Oh, I micht he'e a gless o' sherry at the funeral, but I widna be in a state. Nae the state you were in efter Uncle Donald's funeral in Stornoway.

Sherry at my funeral? Ower my deid – Bunty, I dinna like this subject. Can we spik aboot something else?

Aye. I couldna be bothered readin' a' that stuff aboot the welfare services onywye.

Of course, if ye ever div wint tae read aboot it, ye can get a Green Paper. It's a' in there.

The Green Paper? are you nae thinkin' aboot Bobby Clark's new series?

THIS IS A DAY TAE PEY ATTENTION TAE A' THE ADVICE I GOT FAE DOD.

Nae the Green Final. The Green Paper. Available to all if ye've got 26 quid that ye hinna got naething better tae dae wi'.

I'm enjoyin' Bobby Clark's column. I'll tell ye, though, Dod – I'm glad Scotland are nae ga'n' tae be playin' Wales on the rugby pitch.

Fit wye?:

Well, peer Jim Leighton. He widna be able tae reach the cross bar. An' I dinna think even Gordon Strachan could control that funny shaped ba'.

Bunty, it's jist occurred tae me that Scotland's ga'n' tae ha'e a better chance against Wales, 'cos there'll be fower Aberdeen players in the team now that we've signed Jim Bett.

Aye. Well, five really. I still coont Gordon Strachan as an Aiberdeen player.

'At's richt. 'Cos it wis at Pittodrie that Gordon developed intae a great player. I mean, he definitely benefited fae a' the advice I used tae shout at him every Setterday. Hey, look at this in the paper, Bunty. Last wik wis fairly a great wik for Aiberdeen. The fitba' team got a good new player, an' it says here the city got a department of polar medicine. The first een there's been onywye.

Fit a lot o' rubbish.

It is not. Look, there's a professor blokie quoted here. He says 'This will be the world's first centre of polar medicine.'

Well, he's never sat in oor doctor's waitin' room in December.

TIME IS CALLED ON MORE CITY PUBS

It's very difficult tae get bleezin' fan the pubs bide open a lang time.

Far's the paper?

Ye hinna time tae read the paper. That gairden oot there's a disgrace. Ye'll ha'e tae get a grip on't afore we ging awa' wir holidays.

Bunty, I dinna ken enough aboot gairdenin'. I'm nae sure fit I should be daein'. Horticulture is a very complex science, ye ken.

Dinna come it. If ye need ony scientific advice, ye can get it fae British Telecom's new gairdenin' service. Jist dial 694694, an' George Barron'll tell ye fit tae dae. In the case o' oor gairden I should think George's scientific advice tae you will be: 'Get doon on yer knees, tak a hud o' the weeds an' pull'.

But, Bunty, I'm meetin' Frunkie Webster for a pint the nicht.

Nae till ye've deen three hoors in the gairden, ye're nae.

Three hoors? Bunty, it's six o'clock noo. The wye the licensin' board's been gain' on, the pubs'll a' be shut in three hoors' time.

Dinna be feel. The pubs are still open far ower lang, if ye ask me.

Actually, I quite agree wi' ye, Bunty. I mean, it's very difficult tae get bleezin' fan the pubs bide open a lang time. Ye canna drink fast enough. Ye've got tae spin things oot – drink slow. If ye've four or five hoors o' drinkin' time, ye canna afford tae drink fast. Nae on the kind o' pocket money you allow me onywye.

I can mind fan the pubs a' closed at half-past nine.

8

'At's richt. An' they were great days, Bunty. I can mind the nicht o' Willie Scorgie's stag nicht', thirty years ago, in the Prince o' Wales. Me an Willie an' Frunkie Webster an' Eddie Mutch, we'd a' been buyin' rounds faster than we could drink them, an' at 25 past nine we a' had fower nips an' fower pints to drink.

An' five minutes tae drink them in?

'At's richt. We made it, though. We got them doon.

They got you doon, fae fit I heard. Three grown men sprawlin'aboot in St Nicholas Lane, an' Eddie Mutch singin' The Bonnie Lass o' Fyvie tae Queen Victoria's statue. Of course Eddie's aye been very musical.

Aye, an' his daughter's a rare singer – Yvonne.

I dinna ken Yvonne.

Peer Yvonne. She got a big disappintment last wik. She went doon tae London tae audition for the vacancy in Bucks Fizz. But she never got tae sing.

Because she disna look like a pop star?

Because she *dis* look like a pop star – Demis Roussos.

Did ye see he sang to the hijackers? Serves them richt.

I wis jist thinkin' back tae the nicht in the Prince o' Wales. I've had some great nichts there, Bunty. I

GET DOON ON YER KNEES, DOD, TAK' A HAUD O' THE WEEDS AN' PULL.

wis reminded o' een o' them last wik. Did ye read the story aboot the French blokie that made on he wis a famous rugby player?

Aye, an' he fooled a' the rugby boys in Aiberdeen?

'At's richt. Well, fan I wis Assistant Trainer for Parkvale, there wis a Glesca boy, Jerry Symon, did a bit o' coachin' for them. He'd played for Rutherglen Glencairn an' he'd been a junior international 20 years afore. Well Rutherglen Glencairn came up tae play Parkvale in a Scottish Junior Cup-tie, an' some o' them mistook me for Jerry.

An' did ye nae tell them that ye werena Jerry?

Bunty, fan this bunch o' Glesca boys says tae me, 'Jerry, you were the best winger that ever played for Rutherglen Glencairn, come on an' we'll buy ye a drink' the words, 'I'm nae Jerry', seemed to stick in my throat somewye. So we ended up in the Prince o' Wales an' I got free drinks fae five or six o' them.

Dod! I'm ashamed o' ye. Folk that dae things like that aye get a come-uppance. Mark my words.

You're tellin' me. We were still there in the Prince o' Wales fan twa bobbies came in, lookin' for Jerry. It seems he'd been strippin' leed aff the kirk roofs. The Glesca boys telt them I wis Jerry, an' I spent the nicht in Lodge Walk.

Lollin' aboot on the Costa del Oban – wi' jist one jersey on under yer anorak.

Far's the paper?

Here ye are. There's still an affa row ga'n' on aboot the pay rise for the top brass.

Nae much wonder, Bunty. Sixty thoosand a year for a general.

Foo much is that a wik? I need tae ken that afore I can tell if it's mair than fit you mak'.

Bunty, ye can tak' it fae me it's a wee bittie mair than fit I mak'. In fact sixty thoosand a year is mair than fit Eddie Mutch mak's, includin' his re-wirin' an' gas conversion homers.

Gee whiz. An' maybe generals dae homers an' a'.

Aye – especially the eens that started in the REME, like Eddie. Ken 'is Bunty? It's at times like this that I wonder if I did richt comin' oot o' the Army efter my National Service. I got the chunce tae sign on, ye ken. They were affa keen tae ha'e me. But I wis keen tae get the early breakfast an' oot intae Civvy Street. 'Cos 'at's far, in my considered opinion, the opportunities wis in thae days. But who knows, Bunty? If I'd signed on, I micht have been a general by this time. Mak'in' sixty thoosand a year. Plus homers.

I'll tell ye this. I'll bet maist generals ha'e a better holiday than twa wiks' bed an' breakfasts on the West Coast. I mean, some o' that places we wis in wis ower rough for the Calum Kennedy Road Show.

Well, but ye must admit, Bunty, fan Frunkie Webster got a lane o' that car, it seemed like a good arrange-

11

ment — the fower o's ga'n' an' him an' me sharin' the petrol an' the drivin'.

Aye, but I didna ken that meant him daein' a' the drivin' an' you buyin' a' the petrol. For a car that only kept goin' if the choke wis oot.

Ach, it wisna a bad holiday, Bunty. The Websters are aye good company.

Oh, aye. I enjoyed it. It wis jist aboot as good as bein' at hame in wir ain hoose.

Exactly. It's nae often ye can say that aboot a holiday. I mean, we were lucky wi the weather, Bunty. Oh, it wis bad. But it wisna near as bad as it wis in Aiberdeen in the Trades Fortnicht. I mean, fan we wis lollin' aboot on the Costa del Oban — some days wi' jist one jersey on under yer anorak — it wis poorin' rain in Aiberdeen.

Aye, an' maist o't wis comin' through oor back bedroom windae that you wis supposed tae have shut afore we went awa'.

Ye're nae still on aboot that, Bunty. A minor oversight. I mean, anither wik wi' the heatin' on full blast an' the carpet'll dry oot fine.

A carpet's never the same efter it's been sipin'.

Ach, awa'. We'll shift it roon, an' pit the worst bit under the chest o' drawers.

But it'll aye smell foosty. An' ye ken fine 'at's the only bedroom that's tidy enough tae tak' the doctor in til. I mean, if I wis ever laid up an' we'd tae get the doctor

ME AN' BUNTY HIV A LOT IN COMMON: SHE'LL BE GREETIN' AS WEEL.

*intae that room, I wid be that affronted it wid tak' a'
the pleasure oot o' bein' ill.*

'At room's ower little tae be a sick room onywye,
Bunty. If onybody wis ill in that room, it wid be like
the last episode o' Dallas. Did ye see yon? Nae wonder
Bobby dee'd. There wis 'at many fok roon his bed
there wis nae room for the medical staff.

*It wis sad, though, wis it? I wis greetin'. An' sae wis
JR.*

Well, I've aye said you an' JR hiv a lot in common,
Bunty. But it's been a wik for you gettin' emotional
ower the TV. Ye were fairly gettin' workit up at the
end o' the golf. I thocht we were never ga'n' tae get
wir tea on Sunday.

*Oh, I ken. It wis affa excitin', wis it? I mean, I like
Langer – he's an affa bonnie laddie – but it wis a
great day for Scotland.*

Aye. I jist wish Sandy Lyle sounded a bit mair
Scottish. I mean, if Harry Carpenter interviewed
me at the end o' the Open, a'body wid ken richt
awa –

*– that Harry had made een o' his bloomers an' got
hud o' the wrang bloke.*

Very funny, Bunty. I'll tell ye, though. We hinna
really celebrated Sandy's win yet. Mind? I wis jist
awa' tae get the bottle oot on Sunday fan the Web-
sters turned up. So fit aboot a drink afore wir tea the
nicht?

*Well, the trouble is I've used tum'lers for the Instant
Whip.*

Nae problem, Bunty. 'At wis one good thing aboot
me ha'ein' tae buy a' the petrol on wir holiday.
We've plenty tum'lers noo.

PREMIER Margaret Thatcher today sent a "nothing doing" message to the Duke of Edinburgh over his controversial demand that mortgage tax relief should be scrapped.

The brisk brush off for the main recommendation of an inquiry into Britain's deteriorating housing stock came in a statement of reassurance to millions of home buyers.

Their tax relief, worth £3.5 billion a year, is here to stay, as far as Mrs Thatcher is concerned.

The Duke, who headed the inquiry, called for radical changes in the nation's housing policies, including the phasing out of tax relief over a 12-year period.

Thatcher slaps down Duke's tax change call

Him and the Queen must have peyed aff their mortgage by noo!

Far's the paper?

I've got it here. I'm readin' aboot Prince Philip wintin' tae abolish mortgage interest relief. Fit's 'at fan it's at hame?

Well, at present Bunty, if ye're peyin' interest on a mortgage, ye hinna tae pey sae much income tax. But Philip wints tae stop that.

It's a' richt for him. Him an' the Queen must have peyed aff their mortgage by noo. They've been mair than 30 years in that place.

For ony sake, Bunty. They dinna own Buckingham Palace. It's a tied hoose. It gings wi' the job. In fact, come tae think o't, they've got a puckly tied hooses.

So if the Queen wis tae dee afore Philip, wid he ha'e tae move oot o' the palace?

Oh, aye. Cos it's very important, Bunty, that the accommodation is available for the next holder of the post. Or they micht turn doon the job. Especially if they've got a squad o' kids, like Charles an' Di's bound tae ha'e the wye they're ga'n'.

Maybe Charles an' Di wid let Philip bide on. It's a big place. They could surely find a granda flat for him.

Well, they micht. But it rarely works, that kind o' thing. Look at young Jimmy Hutcheson an' his wife. They took aul' Jimmy in fan Martha dee'd in 1973. I said at the time I wid gi'e it a wik.

And?

And that turned oot tae be an optimistic forecast. Aul' Jimmy moved in on the Monday, on the Tues-

14

day he broke the TV, an' on the Wednesday he burned the fryin' pan makin' himsel' a Spanish omelette at half past two in the mornin'. An' young Jimmy says til him, 'It's nae ga'n' to work, Da. Ye'll ha'e tae ging'. An' I dinna think he'll be there much langer, Bunty. So if Charles an' Di hear that story –

Fit aboot this do that Charles an' Di are ga'n' til at Haddo Hoose? There's a bit in the paper aboot it the nicht. It's in aid o' the Special Nursery. First there's the Richard Baker Show, an' then, it says, 'Eighty invited guests will pay £100 each to dine with the royal couple'.

Well, I hope we're nae invited, Bunty. At a hunner quid a skull, we couldna *baith* ging.

Eh?

Jist a joke, Bunty. I reckon we couldna even afford the HP Sauce at a do like 'at.

I ken. I mean, fa in Aiberdeen could afford tae ging tae a do like 'at?

Oh, they'll get folk. There's plenty siller in Aiberdeen, Bunty. And in Aiberdeenshire. It's a statistical fact that there's mair millionaires tae the square mile in Aiberdeenshire than onywye else in the world.

So should we maybe move oot tae Kemnay or somewey? Wid 'at dae the trick for us?

I doot it, Bunty. No, no. The kind o' folk that'll be gain' tae that denner at Haddo Hoose – well, I canna see us ever bein' in that league. Nae unless you tak' up pop singin', an' get a number one in the charts like Annie Lennox.

It says in the paper here that she went tae school in Aiberdeen – The High School for Girls.

'At's richt. Eddie Mutch's loon gings tae that school. Davy.

Of course, it's ca'd Harlaw noo.

Aye, an' it's nae surprise Harlaw's produced a number one. It's got a great musical tradition. In his third year at Harlaw, little Davy Mutch wis in Oklahoma. He wis Fifth Cowboy. His mither thocht he wis great, an' now she thinks he can mak' it big on the pop scene like Annie Lennox. A view not shared by little Davy's guidance teacher. An' certainly nae by the music teacher.

D'ye ken fit I like best aboot Annie Lennox, Dod? She's kept her ain name. I'm glad she didna change it tae Madonna, or the Virgin Mary, or Boy George, like some o' that ither lassies his deen.

Ye're quite richt, Bunty. An' it's a good Aiberdeen name. I mean, fan ye hear Mike Read or DLT or some o' them sayin' 'Annie Lennox', ye div feel that it's Aiberdeen that's up there at number one. Good for Annie – nae tae forget her roots.

She hisna forgotten her school either.

Fit d'ye mean?

Well, d'ye see the name o' her group – the Eurythmics? That's fit PT used tae be ca'd at the High School.

A BEAMING Queen Mother had a supersonic birthday present today when she took a trip over Britain in Concorde.

It's a' richt for the Queen Mum. She's never had tae wash a dish in her life.

Far's the paper?

Here ye go. I see Chris Anderson's sayin' that only two per cent o' the folk that ging tae Pittodrie are trouble-makers.

'At's richt, Bunty. An' the Dons his secret plans for keepin' the odd undersirable oot.

So dis that mean you'll be available this season tae pit up that shelf in the scull'ry that I've been waitin' months for?

Very witty, Bunty. Very satirical.

No, no. It's jist that fan I tried tae think o' somebody that wis baith odd and undesirable ...

A' richt, a' richt. Ye've hid yer wee joke. Let me assure you, Bunty, fae now on ye winna see much o' me on Setterday efterneens. Like Fergie, Frunkie Webster an' me are happy with our preparations for the new season. Frunkie's bocht a new reid an' white rosette, which can double for use in a poli'ical context in the unlikely event of him being selected as the Labour candidate for onywye, and I have cut the Dons' fixture list oot o' last wik's Advertiser.

Last wik's Advertiser? Div ye nae mean last wik's Bon-Accord?

No, no, Bunty. The Bon Accord's that thing the toon cooncil produces. 'Free to ratepayers' it's supposed tae be. But we never see it.

We've got the latest een, Dod – for July. Here's it, look. Turn tae page five – 'Know your councillors.' See? Individual passport photies o' every member o' the district cooncil.

Awa' ye go, Bunty. Let's see. Michty, ye're richt. They *are* passport photies. An' ye ken the aul' joke – if ye look like yer passport photie, ye need the trip.

No, I dinna ken it. Fit is it?

Oh, forget it, Bunty. Concentrate instead on this quiz I'm ga'n' tae gi'e ye. Look at the photies an' tell me – which district cooncillors are deid ringers for (a) Ronnie Barker, (b) Bruce Forsyth, and (c) Eddie Waring?

Eh, him, him, an' – wait a minute – him!

Correct, Bunty. Very good.

Oh, an' that een there looks like Henry Cooper.

No, she disna. Hey, I see fae this the Scottish Secretary has approved the Bredero scheme. Cooncillor Fraser's affa pleased aboot it. He says it's the biggest thing tae hit Aiberdeen this century, the signin' o' Willie Miller not excluded.

Biggest thing this century? Rubbish. The speed it's gone so far it winna be finished this century. Hey, anither nice picter o' the Queen Mum in the paper the nicht. Of course she's the same age as the century.

Aye, an' she's still lookin' good, Bunty. I hope you look as good as that fan you're 85. Come tae think o't, I hope you look as good as that fan you're 55. Come tae think o't, you didna look as good as that fan you wis 35.

Well, it's a' richt for her. She's never had tae wash a dish in her life. Or scrub a fleer. Or scoor a macaroni pan that her man pit on under a full gas an' then forgot aboot.

I said I wis sorry aboot that, Bunty. It wis the TV's fault: this twa blokes wis discussin' whether that programme – At the Edge of the Union wis it? – should have been banned just because it micht stimulate interest in the IRA. It wis very interestin'.

Aye. Fancy that programme nae gettin' on. It must be really terrible fan ye think o' some o' the programmes that div get on. Have ye seen Tandoori Nichts? It's my mither's favourite programme. That's foo bad it is.

Hey, it's jist struck me, Bunty. I think the brainwave we hid for a birthday present for yer mither's up the creek. Efter bloomin' British Airway's treat for the Queen Mum.

Oh, I ken. A trip roon' the 'hale coast o' Britain in Concorde? Fan mither hears aboot that she's nae gain' tae be sa'isfied wi' a tour o' city an' suburbs.

Action call from mum in race ban row

I wis disqualified for ha'ein wir Copie number written on the front o' my jimmies.

Far's the paper?

Hud on a minute. I'm still readin' it. It looks as if wee Andy's gain' tae be reinstated efter a'. Ken? The loon that wis banned fae his sports club for winnin' a packet o' sweeties.

Fit a piece o' nonsense that wis. Of course some o' that athletics officials is power mad. I mind fan I wis a loon I wis disqualified fae the egg an' spoon race in the BB sports.

Fit for?

For ha'ein' wir Copie number written on the front o' my jimmies. My ma had pit it there 'cos I wis aye forgettin' it fan I went the messages, but this officer in the 45th BB said it constitu'ed advertisin' for the Copie, an' sponsorship wisna legal in the BB sports. Nae in the egg an' spoon race onywye. I widna care, a' the eggs they were usin' wis fae the Copie. 'Cos Ralphie Gilchrist's aul' man worked at the butter side in the Copie in Clifton Road, an' he smuggled oot a dizen on the Friday nicht. Come tae think o't, Frunkie Webster won that race, an' he got tae keep his egg as a prize. So that mak's him a professional. Come on Bunty, hand ower the paper.

Wait a minute. This is a good bit. Listen: 'We shall make your life not worth living,' warned Mrs Thatcher.

Let me guess. She was spikkin' tae the folk that are buying the hoose next tae the new een that her an' Denis have bocht.

No, no. Dinna be feel. She wis layin' intae the drug smugglers, an' –

Well, maybe so, Bunty, but can ye imagine bidin' in a Barratt's hoose next door tae Maggie? Willie Paterson's quine bides in a Barratt's hoose in Ellon, an' the wifie next door tae her's aye chappin at the door mouchin' a cup o' sugar or something.

19

Dinna be feel, Dod. Mrs Thatcher widna ging on the mouch for onything.

No, she wid send Denis.

Peer Denis. It must be terrible ha'ein a domineerin' wife.

Aye, it must be. Mind you, Maggie's job must tak' her oot o' the hoose a lot. So Denis is better aff than some folk, Bunty.

Dinna be chikky. Ken fa aye reminds me o' Denis? Mrs Tough at the bowlin' club. I think it's the specs.

An' the likin' for gin.

An' she's the same age as Denis. She's 70, ye ken. But she aye mak's on she's a lot younger. She's aye dressed up tae the 99's. But she's ga'n' tae ha'e a problem next month.

Oh?

Aye, did ye see the lady provost's started entertainin' pensioners fae the multi-storey blocks tae a cup o' tea at the Toon Hoose? Well, it's Mrs Tough's block next month, an' she'll be keen tae ging, but she winna wint tae let on tae the rest o's at the bowlin' club that she's a pensioner.

But the rest o' ye a' ken she's a pensioner. Ye a' ken she's 70.

WHEN I RING THE BELL, LADIES, TEA IS SERVED.

Ah, but she disna ken we ken. An' we canna let her ken we ken. Or she'll be furious that we never let her ken lang ago we ken. Ken?

For ony sake, Bunty. Fit a lot o' rubbish. I'll never fathom the female psyche.

No. It's a bittie complicated for you. You stick tae fitba' – it's a lot simpler. It's entertainin', though. I saw the Don's match on the TV on Sunday. I think I'll maybe start ga'n' tae Pittodrie.

They widna let ye in, Bunty. They're tryin' tae keep oot the rough element this season.

Fancy Willie Miller playin' seven hunder games for the Dons. 'At's fantastic, 'at.

Well, of course, Bunty, great fan of Willie's though I am, there's naething very special aboot seven hunder appearances. I mean, I've been involved in far mair Aiberdeen matches than that. I started afore the war. My aul' man took me tae Pittodrie fan I wis seven. Fan I first saw the Dons, their colours wis black an' gold. An' Strauss played for them.

Strauss? The mannie that wrote the Blue Danube? Did they nae get the Bucksburn Police Pipe Band in thae days?

Maybe ye wid prefer tae ging tae aerobics at Auchnagatt School

Far's the paper?

Is that nae it ye're readin'?

No. This is the Evenin' Express guide tae evenin' classes, jintly produced by Jim Michie an' Alistair Robertson. You should ha'e a look at it, Bunty. It could open up some 'hale new horizons for the likes o' you. It's like the mannie says on the front page. Ken? The education supremo. He says, 'It is never too late to take up a fresh interest or pick up a new skill, and you meet interesting people with similar interests'.

Well you couldna. Onybody wi' similar interests tae you couldna possibly be interestin'.

Now, now Bunty. I've got a lot o' interests.

Aye. McEwan's Export an' the Dons.

Dinna come it. I've got a lot mair interests than that.

Oh, aye. Like fit?

Well, politics for a start.

Oh, aye. Well, tell me this. Fit's Mrs Thatcher's policy on cooncil hooses?

She thinks that folk that live in cooncil hooses should try tae buy them.

Exactly. So fan she wis lookin' for a new hoose fit did she buy this Barratt's place for?

Well, because it's Georgian.

Awa' ye go. If she's sae keen on folk buyin' their cooncil hooses, fit wye did she nae buy 10 Downing Street?

For ony sake, Bunty. They widna let her dae that.

Widna let her? Are you tellin' me there's somebody wid ha'e the nerve tae tell her she couldna dae some-

thing she winted tae dae? Wise up, Dod. A fat lot you ken aboot politics. Now, fit ither interests have ye got?

Pop music. I'm heavily intae that, man. I ken a' the chart-toppers.

Oh? Well ye wisna invited tae Madonna's weddin'. An' ye wisna on Simon Le Bon's boat fan it turned ower.

I wish you'd been.

It's been a bad wik for British boats, his it? It wis hard luck on Virgin Atlantic Challenger. Richard Branson said it wis still a great achievement: it wid have smashed the record if it hidna sunk.

Well, that's a feel thing tae say, Bunty. I wid have thocht an essential component of br'akin' the record for crossin' the Atlantic must be that ye dinna sink.

At least the Queen wis on a mair reliable boat fan she cam' tae Aiberdeen last wik. 'At wis nice, wis it, knightin' the Britannia's commander afore they came ashore.

Aye, it wis very unusual, that. I mean, the last sailor tae be tapped on the shoo'der in Aiberdeen Harbour wis yer Uncle Matt fan he wis nicked by a bobby for indecent exposure on Pocra Quay. See, Bunty? That's anither o' my interests: episodes in Aberdeen's maritime history. I'm tellin' ye, I've got dizens o' interests: I wid mak' very good evenin' class material. But sae wid you, Bunty. Ha'e a look an' seen if ye fancy onything. Ye could get Hostess Cookery on a Tuesday followed by oxy-fuel cuttin' and jinin' skills on a Wednesday. Or maybe on a Wednesday ye wid prefer tae ging oot tae Maud, pick up yer Auntie Alice and ging tae aerobics at Auchnagatt School.

23

If ye must ken, Dod, I've enrolled for an evenin' class already. Paintin' and –

Decoratin'?

No. Sketchin'.

Sketchin'? This has been some wik-end for shocks, Bunty. I open the Green Final on Setterday an' find Rangers at the top o' the League, and now you tell me ye wint tae learn sketchin'.

I dinna wint til. I've got til. It's Alan that's the teacher. Him an' Lorraine hiv a lot mair things tae get deen tae the flat, an' Alan tak'in' an evenin' class jobbie'll be a bit mair money for them.

But fit hiv *you* got tae ging for? Alan winna get peyed ony mair. It's nae piece work he's daein' – it's nae as if he gets 50p for every Rembrandt he turns oot.

No, but Lorraine's feart that naebody'll ging tae the class at a'. An' that wid be bad for Alan's confidence jist afore he begins p'intin' the lobby ceilin'. So she phoned up the day an' telt me tae enrol.

You? In an art class? I couldna imagine onybody worse.

Lorraine could. She telt me tae mak' sure you *didna ging.*

Festival chief hits at arts grant snub

By VIVIENNE NICOLL

AN Aberdeen councillor today launched a withering attack on the Scottish Arts Council.

He has accused the organisation of being blinkered, high-handed and bungling.

Councillor David Clyne made the comments in his role as chairman of the Aberdeen Alternative Festival trustees.

They were recently refused an Arts Council grant and one of the reasons given was that the trustees had under-estimated the amount of income the festival would bring in.

The Arts Council made particular reference to the festival club saying the organisers had been over-pessimistic about the club's takings.

But Mr Clyne today revealed the income of the club has been based on it being 100% full.

He added: "It is quite obvious that the S.A.C. have bungled in dealing with our application and this is quite irresponsible for a public funded body.

"I am disgusted with the response from the Scottish Arts Council.

"It is astonishing that the S.A.C. can act in this blinkered and high-handed manner in light of frequent public statements in which they indicate their great desire to foster the arts in Scotland."

Aberdeen District has under-written this year's festival, which runs from October 4-13, to the tune of £90,000.

Mr Clyne claimed the Arts council had consistently argued that if local authorities show a commitment to the arts, the S.A.C would respond expertly.

But he said their words were now seen to have a hollow ring.

Mr Clyne is planning to raise the funding of the festival by the arts council with the city's four MPs.

I dinna think onybody on the Scottish Arts Cooncil'll understand language o' that complexity.

Far's the paper?

There's it – under the telephone directory.

Dinna spik tae me aboot the telephone directory, Bunty. Foo lang his it been oot? Three months, and they've changed a lot o' the numbers already.

I ken. A' the threes are three-ones noo.

As I discovered fan I tried tae phone Frunkie Webster last wik. Instead o' gettin' the dulcet tones of Frunkie or Dolly, I gets this lassie gi'ein' me a row for diallin' the wrang number. The Websters used tae be a three, ye see.

Sae were the Petries. So that's twa that used tae be threes. Well, fower really. Ken? Frunkie an' Dolly, an' Willie an' –

A'richt, a'richt. I've got the picter. Onywye, fan I did get through tae Frunkie, I telt him his number had been changed. An' gi'e him his due, he immediately thinks o' his responsibilities as branch secretary, an' he says, 'I'll need tae pit oot a circular letter tae a' the members in case ony o' them needs tae get in touch wi' me in an emergency'. So I spent the 'hale o' Thursday nicht addressin' envelopes for him.

Nae need for that. Folk that try Frunkie's aul' number will get the new een fae the lassie. It's a recorded message. They'll get him jist aboot as quick withoot the letter.

A lot quicker as a matter o' fact. There wis a mistake in the letter. Frunkie wrote his new number oot wrang. 'Ken they used tae begin wi' a double three?

Aye, Double three, seven –

Well, Frunkie pit the one efter the second three instead o' efter the first een. An understandable error, Bunty.

25

Fit a kirn tae mak' o't. Fit a pair o' feels. An' I suppose ye'll be blamin' British Telecom for changin' the numbers sae seen.

Absolutely. Gross incompetence. That's fit wrang wi' this country the day, Bunty.

Well, there is some public bodies on the ball. The cooncil's plannin' committee wis fair crackin' doon last wik. Did ye see? The Trainie Parkie's never ga'n' tae be a car parkie.

Aye. Bad news for shops like Littlewood's an' Woolie's.

An' Gordon's College is nae gettin' tae move.

Mair bad news for shops like Littlewood's an Woolie's.

An' Councillor Clyne wis fair pitchin' in tae the Scottish Arts Cooncil for nae supportin' wir Alternative Music Festival.

Aye. Did ye like the bit aboot the Arts Cooncil 'grazing their hobby horses in Charlotte Square while idly tossing the taxpayers' money down a bottomless cultural pit'. Mind you, he should remember the kind o' folk he's dealin' wi'. I dinna think onybody on the Scottish Arts Cooncil'll understand language o' that complexity.

I'll tell ye something I canna understand, Dod – that twa Inverness lassies ha'ein' the nerve tae pose for photies in Penthoose. Ye widna catch me daein' that.

Catch ye? I dinna think onybody wid even chase ye if you were daein' that. I'll tell ye, though, Bunty. I'm nae intae girlie magazines, but I thocht I micht jist buy January's Penthoose. It sounds as if it'll ha'e a very nice view o' Castle Urquhart.

You will not buy January's Penthoose. A man your age. Gettin' near retirement.

Steady on, Bunty. I'm nae that aul'.

Well, I see Bobby Morrison the bookie's retirin'. He's nae much aul'er than you.

He's nae exactly retirin', Bunty. He's jist selt his shops tae William Hill. I wonder foo much they've peyed oot til him.

Nae half as much as you've peyed oot til him in the last thirty years.

Oh, fair play, Bunty. I've had the occasional flutter. I had een last wik, an' it's left me a bittie short.

Well, I hope it hisna left ye that short that ye canna pey the phone bill. It cam' in the day, an' fit a shock!

Me? pey the phone bill? The wye I feel aboot British Telecom this wik? Onywye, Bunty, the phone bill's a domestic item. *You* pey it oot o' the hoosekeepin'.

Na, na, Dod. You're the subscriber. Look – it's your name that's on the accoont. An' ye ken fit that means.

Fit?

It's for you-hoo.

Fa arranges the date o' the Braemar Gatherin'? Div they never check wi' the SFA?

Far's the paper?

Jist a minute till I see the weather forecast. Fit a summer it's been, his it? The folk that went abroad for their hol'days have fairly scored. I met Betty Ironside yesterday efterneen. 'Ken? They bide in Nelson Street. Fit a tan she's got. They were a fortnicht in Italy.

Fit did they need tae ging tae Italy for? They bide across the road fae Carcone's ice-cream place.

D'ye think we could afford a continental holiday next year?

I canna see it, Bunty. We're still recoverin' fae Lorraine's weddin'.

Well, but fit aboot this? It says in the paper that the tourist board is lookin' for folk tae provide digs for visitors tae the Offshore Europe exhibition. We could dae 'at an' mak a bit o' money. Now that Lorraine's awa' we could pit somebody intae her room. It's very nice. She kept it lovely.

Oh, yes. Lots of attractive feminine touches, Bunty. Jist the kind o' room an ile man on a trip tae an exhibition micht dream aboot. Though I'm nae sure that the cuddly panda is fa he would choose tae share it wi'.

28

If we got rid o' that bloomin' panda we could get twa folk intae that room.

That wid practically mak' us a hotel, Bunty. I could be the maitre d. 'Ken? The heid bummer. I could get a few tips fae Frunkie Webster. He began his career in the hotel business. Fan he was 13½ he washed glesses in the Invercauld Arms in Braemar.

Hey! It's the Braemar Gatherin' this wik-end. Far's the weather forecast in this paper? I still hinna found it. We dinna wint a rainy Braemar.

For ony sake, Bunty. Have we got tae ging tae Braemar again? The Dons is at hame on Setterday. I mean, fa arranges the date o' the Braemar Gatherin'? Div they never check wi' the SFA? Then they could mak' sure they ha'e it fan the Dons are awa'. They'd get a lot mair folk that wye.

Dinna be feel, Dod. This is the wik-end that suits the Queen. In the middle o' the Royal Trades Fortnicht.

An' of course it's got tae be on a date that suits the Queen. I mean, folk only ging so's they can gape at the Royal Family. It's nae Captain an' Mrs Farquharson that's the attraction. And it's nae the games: there's precious few serious students o' athletics ging tae Braemar. I mean, ye've never seen Ron Pickering there, hiv ye? An' there's never been nae word o' David Coleman tak'in' ower fae Robbie Shepherd in the commentary tent.

Och, naebody's interested in the events. But it's very nice seein' the Royal Femily. We dinna often get the chunce up here.

So that's the wye ye dragged me oot tae Haddo Hoose last wik. Ye didna really wint tae see the

Tamin' o' The Shrew. Ye jist winted tae see Prince Edward. So I hiv tae sit through three hoors o' Shakespeare.

Awa' ye go. It wis very good. Fit a bonny laddie he is. An' fit a rare play.

I thocht it wis jist Kiss Me Kate withoot the music. I'll tell ye, though. Shakespeare wisna feart, wis he? I dinna ken fit his wife wis like, but I wid never hiv hid the nerve tae pit in a' that stuff aboot weemin' kennin' their place. I wonder fit the Queen wid have made o' that if she'd been there.

I think she should have been there, Dod. Tae see her loon. You an' me aye went tae see Gary fan he wis in Agility A-jollity at the Lads' Club.

For ony sake, Bunty. If the Queen had been there the security wid have had tae be a lot tichter. An' it wis bad enough as it wis.

Aye. Did ye ken Prince Edward's detective had a part in the play so's he could keep an eye on him?

Dinna spik tae me aboot Prince Edward's detective. Ye ken, at the interval I went awa' tae look for the gents'?

Aye.

Well, I couldna find it. So I thocht I wid jist slip surreptitiously intae the bushes at the back o' the hall.

Dod!

An' fit happened? I wis apprehended by this boy in the doublet an' hose an' the size 13 beets.

District councillors get £92,312

By GAIL McDIARMID

A TOTAL of £92,312.50 in allowances and expenses was claimed by Aberdeen District councillors last year.

Each of the councillors representing the city's 60 wards is entitled to claim £10 for attending committee meetings, full council meetings, or any other approved council duty.

But the maximum is £16 per day regardless of how many meetings are attended.

Councillors can also claim for the cost of travel connected with district business, whether it be in or outside Aberdeen, and are entitled to a Grampian Region travel pass costing £30.

Cash for living expenses while engaged on council duties can be claimed too as can the cost of telephone calls related to council and ward responsibilities.

Councillors have the option of claiming against financial loss as a result of non-attendance at work instead of attendance allowances.

Only one councillor, Alex Forrest, chose to do this during the last financial year.

Unlike ratepayers, Regional Council, the district authority does not pay special responsibility payments to the chairmen of the standing committees.

However Lord Provost Henry Rae and

Nae wonder she'd tae nip up tae the Knockando distillery for something tae steady hersel'.

Far's the paper?

Jist a minute. I see they've found the Titanic at the bottom o' the sea.

Well, 'at's nae surprisin'. Far did they expect it tae be? Come on, Bunty, gi'es the paper.

I'm nae finished wi't. Read yer book.

Och, I'm fed up wi' this book. A lot o' rubbish.

Fit is it, onywye?

'First Among Equals', by Jeffrey Archer. It's a novel.

Dod! You hinna been buyin' a novel! The last novel you bocht wis Lady Chatterley's Lover, and then ye were only part o' a syndicate.

I hinna bocht this. I got a lane o't fae Frunkie Webster the day efter the Cabinet reshuffle. He says tae me, 'Dod', he says, 'the boy that wrote this book his been made deputy chairman o' the Tory Party tae drum up support for them. This is fit we'll be up against at the next election'. Well, Bunty, if this book's onything tae go by, the next election should be a Labour landslide.

Div ye think so? But Maggie must think this re-shuffle's strengthened the Government. She's pretty ruthless, is she?

Aye. Nae wonder she'd tae nip up tae the Knockando distillery for something tae steady hersel'.

I was sorry for Leon Brittan.

Aye. Of course, according tae Maggie, Leon's move fae the Home Office 'has been in the nature of a lateral transfer'.

Fit dis that mean?

31

He's been kicked oot.

'At's fit I thocht. An' I'm sorry for him, cos I think it's his face that's against him.

Well, his face certainly disna dae muckle for him, Bunty. But ye're nae suggestin' that bein' a successful politician depends on fit ye look like? If ye are, ye've jist nipped Donald Dewer's promising career in the bud.

Well, look at that new quine they've got in the chipper.

I beg your pardon, Bunty? I thocht we wis discussin' the correlation atween fit ye look like an' success at the top level in politics.

Well, sae we are, an' I'm sayin' that new quine in the chipper's got a maist unfortunate appearance.

Nae half. Her appearance in the chipper has led tae a big drop in sales. The Wynesses alang the road hinna hid chips for a fortnight.

There ye are, then. An' Leon Brittan's the same.

It's nae the same at a'. Jist because the quine in the chipper's got an affa face, that disna mean she widna mak' a good home secretary.

Well, div you think she wid?

For ony sake, Bunty. Are we ha'ein' a serious discussion aboot this or are we nae?

Certainly. An' I'll tell ye fa else I'm sorry for. That peer cratur Lord Gowrie. He canna afford tae bide in the Cabinet cos he's only gettin' 33 thoosand a year.

BRING ON THE AUSSIES.

Oh, fair play, Bunty. That's nae a lot, livin' in London. I mean, his bus fares alone must be an affa expense. An' the boys in the Cabinet disna get the kind o' allowances the toon cooncil gets in Aiberdeen. Did ye see that table in the paper tellin' ye fit a' the cooncillors got last year? I mean, they've nae excuse for nae lookin' a bittie smerter, some o' them. An' of course they get peyed for jist turnin' up. They dinna ha'e tae dae naething.

Sounds a bit like your job.

Dinna be chikky, now, Bunty. My work is extremely taxin'. Some nichts fan I come hame I can hardly stand.

Well, drink dis ha'e that effect on folk. I mean, far wis ye last Monday nicht? I jist didna believe ye fan ye said you an' Frunkie had been watchin' the TV.

I never said we'd been watchin' the TV. I will admit we'd had a bevvy or twa. We'd been supportin' Les Tough in the bowls final at the Westburn Park. 'At's fit I telt ye fan I got hame. I said we'd been watchin' Les Tough.

Les Tough? I thocht ye said Lace II. It was good – I enjoyed it. But I'll tell ye fit wis even better on the TV last wik – the cricket. I didna used tae like cricket, but I like that Richie Beano. He aye wears very sharp suits, dis he?

Aye, he's a bit o' a dandy, Beano. But ye're richt, it wis good seein' the Australians gettin' the dunt. Of course, ye ken fit finally shattered them?

No. Fit?

Jist afore they went in tae bat in their second innin's they were telt that on their next tour they're startin' wi' a match against Freuchie.

A cheap gimmick

THE CONTROVERSIAL installation of an electronic display in Aberdeen's Beach Ballroom flashing out anti-government messages would hardly appear to be the most responsible or effective way of striking a blow for the poor and

He ruined his new Gucci sheen pleiterin' through the dubs in the car park.

Far's the paper?

Never mind the paper. I've got news for ye.

Is there ony mair in the paper about the Ryder Cup? I like readin' aboot things fan we win.

Aye, we did weel, considerin' Tony Jacklin picked the wrang team in the first place an' then got the pairin's a' wrang on Friday an' Setterday. Accordin' tae you, onywye.

A' richt, Bunty. A' richt. Fit news hiv ye got for me?

Ye're ga'n' tae be a granda.

Fit?!

Ye're ga'n' tae be a granda. Next April.

Is Lorraine expectin'? For ony sake. They were only married in June. So they'll only be one-two-three-four-five-six-seven-eight-nine-ten months married fan the bairn comes. 'At's terrible, 'at. Twa teachers. It jist shows ye: they baith spent years on their education; they never watch Dallas or Coronation Street; they're at the SNO every month; they get the Guardian at tea-time instead o' the Evening Express; and they aye beat us at Scrabble. But for a' that they can get themsel's intae a pickle like this – ha'ein' a bairn afore they can afford it. I mean, ten months married. It's worse than Charles an' Di. An' it's Charles an' Di's *job* tae produce bairns. But even so they're nae as quick on the draw as oor twa.

Dod, if ye wid jist let me get a word in – I'm nae

34

ga'n' tae let ye watch Alf Garnett again – ye've got hud o' the wrang end o' the stick, an' nae for the first time. It's nae Alan an' Lorraine that's ha'ein' the bairn. It's Gary an' Michelle.

Oh, that's nae sae bad. In fact, that's great, that.

Great? At least if it had been Alan an' Lorraine they wid have been merried ten months. Gary an' Michelle are nae merried at a'. And they're nae ga'n' tae be. A son o' mine. Fit wye am I supposed tae show face at the boolin' club fan this news gets oot?

For ony sake, Bunty. Gary and Michelle are two responsible adults who have a stable relationship. This is 1985. There's been a dramatic change in moral values.

Nae in oor boolin' club, there hisna. Ye ken fit the wifie Erskine's like. Spik aboot holier than thou. Ye should have heard fit she said aboot Harvey Smith last wik.

He's an affa Harvey, is he? I saw him bein' inter- viewed on TV an' he made a gesture that did seem tae suggest there wis now *twa* weemen in his life.

I've nae time for him. I hope he fa's aff his horse. An' her an' a'.

It's funny, Bunty, but Gary never mentioned the bairn fan he took me oot tae the Offshore Europe Exhibition last wik.

Well, he didna ken for sure then.

Ah. Mind you, Bunty, he wis in sic a bad mood oot there – he ruined his new Gucci sheen pleiterin' through the dubs in the car park. An' then there wis naewye tae get onything tae eat.

Ye were near the Beach Ballroom. Ye should've tried there.

AND I SAY TO YOU, 'TORQUAY WID BE A RARE PLACE TAE GING FOR YER HOL'DAYS NEXT YEAR.

35

Richt enough. There must have been some good scoff there last wik. I bet Mrs Thatcher got a good meal.

I wid think so. I mean, she widna hiv got the usual leisure an' recreation caterin', wid she? The last time I had a cup o' tea at the Beach Ballroom, the funcies wis stale.

Dinna be feel, Bunty. Mrs Thatcher widna hiv got funcies. I'll bet she got the full works.

Wi' nae interruptions fae the electronic screen, eh?

Aye, That wis Frunkie Webster's idea, that, ye ken.

Fit? Flashin' up the anti-government slogans on the screen? It wis not. That wis the cooncil's idea.

Ah, but it wis Frunkie they got it fae. He has the ear o' een o' the cooncillors.

Awa' ye go.

I'm tellin' ye. It wis Frunkie that suggested the 'hale thing. Well, the idea onywye. The exact words wis changed. Frunkie had suggested, 'Awa' hame, Maggie, ye've nae idea.' But Bob Robertson's think tank came up wi' a different message. I didna think it wis as good as Frunkie's as a matter o' fact.

Of course the Tories scuppered it, onywye, by drawin' the curtains ower it. Ye hiv tae admit, Dod. That wis clever.

Oh, aye. But that's fit the struggle between our two great political parties is all about, Bunty. Strategy. Move and counter-move. It's Karpov and Kasparov on a grand scale. I mean, I saw the SDP Conference at Torquay on the TV last wik, an' OK, David Owen tries hard, but I jist thocht, 'David, yer party's a lang wye tae ging afore it matures intae the same league as the big two.'

I wis ga'n' tae say tae ye, Dod, I watched a fair bit o' the SDP conference.

And?

An' I thocht Torquay wid be a rare place tae ging for wir hol'days next year.

Welcome home to ballet's rebel

Michael Clark (centre) and Company.

An' they a' think they've got a lord provost's chain in their piece box.

Far's the paper?

Here ye are. I hinna time tae read it. I'm fa'in ahin' wi' my knittin'.

For ony sake, Bunty. Jist cos ye're ga'n' tae be a grunnie, dis this hoose ha'e tae look as if we're settin' up in opposition tae Mithercare? Foo many pairs o' socks hiv ye knitted? An' the bairn's seven months awa'. Fit aboot me? I am of the here and now, Bunty. An' sae's this hole in my sock. Is there ony chance o' gettin' a wee darnin' jobbie slotted in tae yer production schedule?

Dinna be sarcastic, Dod. An' pit yer shoe on again, afore we're overcome by the fumes.

Look, a' I'm sayin' is, ye're ga'n' over the top wi' this knittin'. I mean, fit's 'at ye've started on noo? It looks a bit big for a sock.

It's a matinee jecket.

Oh, well, that proves it. Ye've lost the place a' thegither. They're nae ga'n' tae be takin' the bairn tae nae matinees. It'll be far ower young tae ging tae the theatre.

Awa' ye feel. It's naething tae dae wi' the theatre. But hey! d'ye ken fa went tae the theatre last wik? Mrs Flett alang the road.

Mrs Flett? But she's Brethren. She never gings tae the theatre or the picters on principle.

I ken, but the Bankheid Youth Theatre wis on last wik, an' I believe it wis very good. Well, Mrs Flett's

37

grandson wis in it, an' she jist thinks he's the bee's knees. She's aye on aboot him.

I can imagine. I'll bet she knitted him thoosands o' pairs o' socks afore he wis born, that he never wore.

So she decides tae bend her principles a bittie –

That's fit principles are for, Bunty.

– and ging and see him.

Well, but she wid have enjoyed it.

Oh, she wid have enjoyed it, if she'd went the richt nicht. But she got a bittie mixed up wi' the dates an' she ended up at the first nicht o' that punk duncer boy that wis born in Kintore that's Ma bides in Cairnbulg. Michael Clark is it?

Oh, I heard aboot him. There wis a bus party fae the Bilermakers went tae that show. They were absolutely shocked by the language. Aye, an' by the bare –

A'richt, Dod, I ken a' aboot that show.

Fa telt ye?

Mrs Flett.

Did she see the 'hale show? Did she nae walk oot?

Walk oot? She went back again the second nicht.

For ony sake. I dinna ken fit the world's comin' til, Bunty. I mean, I wis watchin' Blankety Blank last wik, an' this boy comes on an' proposes tae his girlfriend – live on the TV.

I CANNA STOMACH AN EIGHT-HOOR DRIVE FAE ROCHDALE TAE DUNDEE.

'At's romantic, 'at. I canna mind you proposin' tae me.

Well, of course, Bunty, in oor case it wisna me that made a proposal tae you, wis your aul' man that made a proposition tae me.

Wis Les Dawson lookin' a' richt on Blankety Blank? He's been affa nae weel.

Aye, he wis lookin' fine. He's lost a bit o' weight, I think.

I'll tell ye fa could be daein' wi' losin' some weight – Cyril Smith. Fit a size that bloke is. It canna be good for him.

Did ye notice he widna ging tae Dundee for the Liberal Conference?

Aye. An' the hotel had got a special bed made for him.

Aye. It wis een o' Scott Lithgow's last orders. But Cyril said Dundee wis ower far for him tae come. He said it wis an eight-hoor drive fae Rochdale in his Mini.

He disna drive a Mini, dis he?

Aye. He jist buttons it on fan he gets up in the mornin'.

I wid hiv thocht he wid need a bus till himsel', Cyril.

Dinna spik tae me aboot buses, Bunty. I never telt ye, but I wis pit aff a bus on Setterday nicht.

Fit for?

Naething.

Dinna be feel. The driver widna pit ye aff for nae-thing.

Well he widna let me on for naething. I'd nae money left, ye see. So fan I got on he pit me aff. He wis real nesty aboot it an' a'. Little Hitler. That's the trouble wi' the new generation o' bus drivers. They've a' seen Henry Rae mak'in' it tae the top afore he retired. An' they a' think they've got a lord provost's chain in their piece box.

Spikkin' aboot Hitler, fit aboot Mrs Thatcher on the TV, at hame at 10 Downing Street, makin' Denis a cup o' Nescafe?

She jist reminded me o' you, Bunty. You're aye sayin' you hinna enough room in yer kitchen. I mean, she did naething but complain.

Ye're absolutely richt, Dod. I jist looked at her, an' I thocht: 'Ye're a richt moanin' minnie'.

Loo fittings for posterity

ABERDEEN'S art gallery and museums may be about to acquire one of it most unusual exhibits: fittings from a public toilet.

The city's underground Castlegate toilet is to shut after the opening of a new toilet block at the Market Stance, East North Street.

And when it does, its Victorian fixtures and fittings will be offered to the art gallery and museums.

For a lang time, thae Castlegate toilets were the seat o' government in Aiberdeen.

Far's the paper?

I thocht ye'd read it already. Are ye nae ga'n' oot the nicht? It's Tuesday. Are ye nae meetin' Frunkie?

No, Frunkie's awa' tae Bournemouth.

I thocht the Websters had hid a' their holidays.

It's nae a holiday. Frunkie's a delegate tae the Labour Party conference. Well, it is a holiday.

Fit wye did Frunkie get tae be a delegate? He's never been a delegate afore. I thocht he'd gi'en up hope.

I think it wis a consolation prize, mysel'. They kent he wis affa disappointed at nae bein' adopted Labour candidate for Sooth Aiberdeen.

But he wisna even on the short list. So you couldna say he wis in wi' a very strong chunce.

No, but the fact remains, Bunty, there wis only twa Frunkies keen tae get it an' they picked the ither een.

Richt enough. Fit's his name again?

Doran. Frunk Doran. He's a solicitor fae Dundee. And, as oor Frunkie said, we dinna ken naething aboot him. I mean, fit's his track record – is he a Dundee or a Dundee United supporter? This is a vital question to which we, the electorate, are entitled tae ken the answer til. Div ye nae agree, Harriet?

Dinna ca' me Harriet. Ye ken fine I canna stand that name.

40

It wis jist I saw the final demand fae yer clubbie book the day. It wis addressed tae Mrs Harriet . . .

Well, keep quiet aboot it. Hardly onybody else kens it's my real name. I think my Ma an' Da went aff it pretty early. Or maybe it wis because I was sic a dainty wee bundle that I got Bunty fan I wis a bairn.

It's funny, is it, the wye folk gi'e their bairns a name an' then in nae time they ca' them something else. Look at Charles an' Di. They ca' Prince William, Wills. It mak's him sound like a packet o' Gold Flake.

He wis lovely, wis he, last wik, ga'n' tae his nursery school an' tak'in' hame the paper hat he'd made.

Well, it started aff as a hat. Subsequent reports identified it as a moose. An understandable confusion.

Well of course, I think MI5 wis tryin' tae confuse the KGB. That's the wye they said it wis a hat.

Anither tit fer tat move, ye mean? Could be, Bunty. Naething wid surprise me these days. Did ye see some folk are wintin' tae buy the fittin's fae the auld toilets in the Castlegate?

Aye. There're nae a' for sale, though. There's some ga'n' tae be re-used the next time there's new toilets built in Aiberdeen.

Well, Bunty, I'm relieved tae hear that in some of the new super-dooper space age toilets in Aiberdeen, there may not be a chain, but there'll aye be a link wi' the past. I mean, that loos in the Castlegate is part of our civic heritage. Fan the meetin's wis held in the

aul' Toon Hoose the cooncillors used tae find that loos very . . .

Convenient?

'At's the word. An' the hale cooncil used tae use them. For a lang time they were virtually the seat o' government in Aiberdeen, that loos.

An' now a' lot o' them's ga'n' tae be selt. It's criminal.

Spikkin' o' criminals, Bunty, did ye see Sebastian Coe wis up in court last wik for daein' 90 mile an hoor on the motorway?

I kent he wis a good runner, but I didna ken he wis that fast.

He wis in his car, ye feel.

Jist a joke, Dod.

Oh, nae jokes, Bunty. I dinna think I can cope wi' you mak'in' up jokes. If the muse is with you, think up a name for the new Bredero development in George Street.

I thocht it wis ga'n tae be the Marischal Centre.

No, no. That's ower parochial. Cooncillor Adams winted some thing mair cosmopolitan, like the Bon-Accord Centre. But they've decided tae ha'e a competition an' invite suggestions. So fit aboot it?

Well, they canna ca' it the George Street-Schoolhill-Harriet Street-Upperkirkgate Centre.

No. That's ower lang.

Fit aboot pickin' oot een or twa o' the streets? Say, the George Street and Harriet Street Centre?

Still ower lang.

The George an' Harriet Centre?

Is there a shorter version o' that?

The Dod 'n' Bunty Centre?

Perfect.

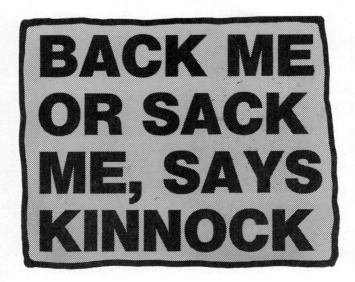

Dinna tell me Frunkie's become the Cecil Parkinson of the Labour Party.

Far's the paper?

I've nae idea. An' I couldna care less.

Come on, Bunty. Look, ye're sittin' on it. Come on, get up aff yer bottom.

Fa div ye think ye are? Jeffrey Archer?

Fit a mood ye're in, Bunty. Look, I'll keep the fitba. You ha'e the rest o' the paper.

I'm nae wintin' it. I've gone richt aff the Evenin' Express. I still hinna got ower Lorraine nae bein' the Bride o' the Year.

Dinna tak' it sae hard, Bunty.

Well. Lorraine wis sic a lovely bride. I mind on the day o' the weddin' Dolly Webster said she'd never realised fit a likeness there wis atween Lorraine an' me.

There ye go, then. She never hid the slightest chunce o' bein' Bride o' the Year. So dinna feel sae bad aboot it.

Dinna be chikky. Ye ken yersel' – fan I wis Lorraine's age I wis really glam. If they'd hid sic a thing as Bride of the Year in oor day –

I ken. We'd naething like 'at. We wis deprived, wis we. We'd rationin' an' a'.

– I'll bet ye onything ye like I wid hiv won it.

You? Bride o' the Year? Mair like the Bride o' Frankenstein.

Well, fit dis that mak' you?

43

Dinna you be chikky. Now, fit's in the paper the nicht? Tory Conference at Blackpool. Well, that'll be read with great interest in St Machar. There's 42 Tories there. Or there wis last wik fan they hid the by-election.

Hiv ye seen Frunkie Webster since he got back fae the Labour Party Conference? Did he enjoy it?

Enjoy it? Ho! Ho! Well, Bunty, dinna tell Dolly, but ye can guess the kind o' things that happen fan a man gets awa' fae hame an' finds himsel' aff the leash in exotic surroundings in the heady atmosphere of a party conference.

Dinna tell me. Nae Frunkie.

Yes, Bunty. In that kind of atmosphere when restraining influences are absent, and a hot-blooded man like Frunkie meets a woman, a kindred spirit, who shares his passions, cherishes the same ideals, feels deeply about the same causes – well Bunty, there can only be one outcome.

Dinna tell me Frunkie's become the Cecil Parkinson of the Labour Party.

You may scoff, Bunty, but last week Frunkie fell in love.

Frunkie Webster? Fell in love?

With Glenys Kinnock. Now, for ony sake dinna tell Dolly.

It widna interest her. Dolly's fa'n in love hersel'. Wi' Cliff Thorburn. But I mean, fit a lot o' rubbish. Frunkie Webster in love wi' Glenys Kinnock!

Fit's wrang wi' that? She's a bit of all right, Glenys. I mean, fitever yer politics, fitever ye think aboot Maggie an' Neil, there's nae doot Glenys is bonnier than Denis.

And did Frunkie actually meet her?

Aye. An' he wis just bowled ower. He met her at an evenin' function on the Wednesday.

Did she spik til him?

Aye. She asked him far he wis fae.

An' did he say anything tae her?

Well, ye ken fit Frunkie's like usually. Ye ken fit a blether he is. Well he wis absolutely tongue-tied. And then he says til her. 'I dinna suppose ye've heard the score wi' Aiberdeen an' Akranes?

An' hid she?

No. But I think this lets ye see fit a smashin' person she is. She says tae Frunkie, 'That's a BBC man over there. He'll probably know'. An' 'at's the wye Frunkie found himsel' tryin' tae find oot the Dons' score fae Robin Day.

So Frunkie wis jist knocked oot by Glenys, wis he?

Aye. The funny thing is he'd been knocked oot the day afore. Literally.

Oh?

Aye, the result of a collision. It was affa bad luck, really. On the Tuesday mornin' he fell in wi' this ETU boy fae Bathgate, an' they thocht they wid jist ha'e a pub lunch afore Neil Kinnock's big speech.

Frunkie didna ha'e a gless o' beer in the middle o' the day, did he? He kens fine fit it dis til him.

Ye're richt, Bunty. He didna ha'e ae gless o' beer. He hid three or fower. Cos the Bathgate boy's theory wis that English beer wis that weak that ye hid tae drink a lot a'fore ye got the good o't.

Dinna tell me. So Frunkie fell asleep efter his lunch.

Well, in the middle o' his lunch. Well, on top o' his lunch actually. An' fan he woke up twa hoors later he realised he wis missin' Kinnock's speech, so he belted oot o' the pub, charged intae the Conference Hall, an' ran straight intae Eric Heffer walkin' oot.

YARD MEN DEMAND TO MEET THATCHER

The Queen got a rat for tea in Belize. She didna even get chips wi't.

Far's the paper?

You finish yer tea. I'm readin' aboot Mrs Thatcher's birthday. I ken ye dinna like her, but she's pretty good for sixty.

Pretty good for sixty you think? Well she's certainly nae much good for the rest o's. In fact if ye're lookin for the number o' folk that she's good for, I think ye're pitchin' it a bittie high at sixty. Mind you, now that she's jined the ranks o' the OAPs she'll maybe start daein' something for them.

It says here she's had thoosand's o' cards an' letters. She'll never be able tae read them a'.

Well, as lang as she reads the een she's got fae Hall Russell's. And dis something about it.

I suppose she'll cairy on bein' prime minister even though she's drawin' the pension noo. I mean, ye are allowed tae ha'e a job. Mrs Duthie along the road dis three mornin's a wik in a shop in Cults. She quite often serves Mrs Ferguson, Fergie's wife. Fergie's daein' a' richt is he? Some salary, that, that he got last year. I mean it wis bigger than the social work department underspendin'.

He's worth every penny o' it, Bunty.

Div ye think he'll leave Aiberdeen if he's offered the Scotland job?

Ken is', Bunty? I think he could dae them baith at the same time. Aye, an' he could dae Rangers an' a' as a homer. Wi' a bittie help fae Andy Cameron.

Fit wye are you nae finishin' yer tea?

I'm nae enjoyin' it, Bunty. Fit is it, onywye?

It's a curry. In honour o' Rajiv Gandhi's visit this wik.

For ony sake. Fit's in it?

Never mind. Fit dis it metter fit's in it as lang as it tastes a' richt?

But it disna taste a' richt. It's horrible. I shouldna be expected tae eat stuff like this, Bunty.

Jist thank yer lucky stars ye're nae the Queen. Did ye see fit they gi'ed her for her tea in Belize? A rat.

It wis a local delicacy, Bunty. It wisna exactly a rat.

Look, I saw a picter o't. An' I'm nae carin' fit onybody says. It wis definitely a rat. She didna even get chips wi't. And there wisna ony vegetables she could hide it under. Ken? Like Aunty Chrissie's meat loaf. At least fan ye canna finish it –

And I've never kent onybody that could finish it.

– ye can aye hide maist o't in below the lettuce.

Bunty, ye dinna think Auntie Chrissie'll gi'e us meat loaf the morn, efter the funeral, div ye?

I dinna think she will. I ken she will. She never gi'es ye onything else. I mean, just cos it's a funeral, she's nae ga'n' tae let that pit her aff her stot. Peer Chrissie. Still, it's good that Ernie an' her were able tae hiv their golden weddin' last year.

At which, if I remember rightly, Bunty, the meat loaf wis even mair horrible than usual.

CITIZEN KANE? I PREFER TARZAN'S NEW YORK ADVENTURE MYSEL.

I mean, Uncle Ernie hid a good innin's, hid he?

Well, considerin' the amount o' Auntie Chrissie's meat loaf he must have eaten in the last fifty years, he wis a walkin' miracle.

Ken 'is? It's nae often I gi'e you credit for onything, Dod, but last wik ye were absolutely richt.

Fit ye spikkin' aboot?

Well, fan Yul Brynner an' Orson Welles dee'd you said, 'That's twa great men o' the cinema awa'. There's bound tae be a third. An' richt enough, on Sunday Uncle Ernie dee'd. An' he wis aye a great man for the picters. He wis never oot o' the Astoria.

Bunty, bein' a great man for the picters is nae the same as bein' a great man o' the cinema. I mean, Orson Welles wis a genius. Hiv you ever seen Citizen Kane? Considered by many to be the finest film ever made. Though I must admit I prefer Tarzan's New York Adventure mysel'. Fair play, though: there's nae mony in the history o' the cinema as big as Orson.

There's nae mony onywye as big as Orson. Twenty-one stone wis he? I liked Yul Brynner, now. He wis sexy, wi' that baldy heid.

I could easy shave my heid, Bunty, if that's fit turns ye on.

Nae need for that, Dod.

Ye mean I'm sexy enough already?

I mean ye're baldy enough already.

FLASHBACK: Fond farewells during the final curtain call after the Tivoli's last show in September 1962.

Glory days on way back for the Tivoli

By MAGGIE BARRY

ABERDEEN'S grand old theatre the Tivoli is being restored to its former glory.

And one day the curtain may yet again go up . . . this time on the music hall stars of the eighties.

Behind the cinderella transformation is the company which took over the bingo hall last year.

architects are working on it to see how much we have to do.

In the long term we plan to have some form of light entertainment and by virtue of the type of building and the history of the Tivoli that would be music hall entertainment."

Makin' the Tivoli a theatre could be the beginnin' o' the end o' live bingo in Aiberdeen as we know it.

Far's the paper?

Never mind the evenin' paper. Ha'e a look at this book o' wallpaper.

Wallpaper?

Aye. Fan I wis watchin' Charles an' Di bein' interviewed by Alastair Burnett, I wis affa ta'en by their wallpaper. I think we should be like them an' ging for a bigger pattern in the livin' room. So look through this lot an' let me ken fit een ye funcy fan I come back fae the bingo. Dolly Webster'll be here for me seen, tae ging tae the Tivoli.

Ye'd better hurry, Bunty. Did ye see the Tivoli's maybe ga'n' tae be openin' up as a theatre?

I think it's shockin'. Fit wye can folk nae leave things aleen? There's aye folk wintin' tae change things. Look at Templeton's in Union Street. I've been ga'n' there for years, an' then last wik – hey presto, it's ca'd something else.

Fit?

I canna mind. It disna metter. It's changed, an' I dinna like changes. I mean, foo lang hiv Dolly an' me been ga'n' tae the bingo at the Tivoli? Mak'in' it a theatre could be the beginnin' o' the end for live bingo in Aiberdeen as we know it.

For ony sake, Bunty, the Tivoli *started* as a theatre.

49

I ken fine it started as a theatre. You took me there ae nicht fan we wis coortin'.

'At's richt. Fa did we see that nicht?

We saw Eddie Tough an' Lorna Finnie. Mind? They'd a big thing goin' for a while till Lorna's ma came hame early ae nicht an' –

No, no, ye feel gype: Fa did we see on the stage?

Now, now. Nae sae much o' the feel gype, Dod.

Well, ye can be richt glaikit sometimes.

'Feel' an' 'gype' an' 'glaikit'. Ye realise 'at's some o' the exotic words the dominie at Drumoak's teachin' the bairns by computer? Did ye read aboot that?

Aye. It fair cheered me up, that story. I mean you an' me ken a' that words an' we've never had nae help fae a computer. We must be cleverer than the bairns nowadays.

Ower muckle TV, that's their problem. Mind you there's nae as muckle as there wis. Fit aboot Aiberdeen Cable ha'ein' tae tak' aff its local news programme?

Well, of course, the big mystery tae me is fit they got tae pit intae that programme every nicht.

50

Richt enough. There's nae a lot happens in Aiberdeen.

There's plenty happens in Aiberdeen, Bunty. But the privileged few in Westhill an' Bieldside that get Cable TV dinna wint tae see news items aboot Aiberdeen – that's a bittie ower cosmopolitan for them. They wint tae see their ain local news items – *really* local, ken? Like 'Bieldside collie narrowly escapes bein' run ower by Westhill company director's Volvo'. Well, things o' that significance dinna happen every day, Bunty. So I dinna ken fit kind o' thing they've been fillin' the programme wi'.

Och, they must hiv pit on some Aiberdeen items. Like last wik they wid hiv hid something aboot the big crackdoon on late licences.

Variously described, Bunty, as 'a hopeless tangle', 'total confusion', 'a complete shambles' and 'utter chaos'. An' that's just fit the members o' the licensin' board have been ca'in' it.

There certainly disna seem tae be muckle rhyme or reason aboot it.

Quite so, Bunty. There's nae much sign o' the logical application of principles that ye wid expect fae a quasi-judicial body, as the clerk mannie described it.

A fit kind o' body?

Quasi-judicial.

Is that onything like Quasimodo?

Only in the sense that the body's nae in very great shape, Bunty.

It certainly seems tae be pretty hit or miss. Nae much system aboot it.

Well, of course, Bunty, any system is only as good as the fallible human beings who operate it. I mean, it's always been widely recognised that many cases in our great courts of justice have been decided by the state o' the judge's liver. An' the Aiberdeen Licensin' Board's nae different. I mean, ye're bound tae get a few funny decisions if some o' the boy's his a hangover. Ken? If they've hid a late nicht the previous evenin'.

Well, at least that winna happen much langer. The wye they're ga'n', there'll seen be naewye left for them tae ha'e a late nicht in.

SPORTS EXPRESS   FIRST WITH THE BIG STORIES

DONS BLAST £1000 FINE!

By ALASTAIR GUTHRIE

ANGRY Aberdeen today broke their silence and slammed the SFA for slapping the harsh £1000 fine on the Dons following the battle of Ibrox.

Chairman Dick Donald and manager Alex Ferguson made their feelings clear for the first time minutes before Aberdeen left for their European Cup tie against

"They're saying don't beat Rangers at Ibrox because you cause trouble"

sensee Stewart's report but this was not done.

Aberdeen and Rangers were pulled before the SFA following the Ibrox battle

"We reckon it is his job to look after the security of spectators and not the players on the field.

"We consider that report to be unsatisfactory and we do not believe Aberdeen should have been fined.

"We do not mind being handed out punishment if it's worth it but we feel hard done by with the punishment which has been handed out on this occasion.

MISSILES

"It's very heavy and I would agree that it is without justification.

Ye care mair for Fergie than ye div for me.

Far's the paper?

Ye hinna time tae read the paper. I'm needin' ye tae ging doon tae the Spar grocer for a jar o' tartare sauce.

For ony sake, Bunty. I'm jist this minute hame after an exhaustin' day's work. There's jist so much flesh an' blood can tak', ye ken.

I'm only askin' ye tae walk tae the corner. I'm nae askin' ye tae dae an Ian Botham – John O'Groats tae Land's End.

Correction, Bunty. Ye're askin' me tae walk tae the corner *and back*. So far as I am aware there is nae word of Mr Botham ga'n' a' the wye back tae John O'Groats. Onywye ye've hid a' day tae dae the shoppin'. Fit hiv ye been playin' at?

I did dae the shoppin'. I wis at the Norco Superstore. But I forgot tae get tartare sauce.

Norco Superstore, eh? Ye didna brak' in til't, did ye? Like the master criminals last February. They planned the perfect crime, Bunty. But one small detail let them doon. A tell-tale trail of footprints in the sna' led the fuzz to their secret hideaway in Logie Avenue. Mind you, even if it hidna been sna'in', the bobbies wid still have got them. 'Cos een o' them had left a note wi' his copie number on it askin' for his divvy on the things they had pinched.

Dod! Stop bletherin'. Ye could have been at the shop an' back by this time.

Och, let's ha'e a look at the paper, Bunty. We dinna need tartare sauce the night.

Dinna tell me ye've forgotten already that Lorraine an' Alan are comin' for their tea.

Oh aye, Lorraine's birthday tea.

An' Lorraine aye gets her favourite for her birthday tea. Scumpi. An' she's got tae ha'e her tartare sauce wi' it. It's bad enough that we're ha'ein' it twa days late. Jist because you had tae ging tae the Cup Final on Sunday. I still think that wis shockin'.

Aw, gi'e it a rest, Bunty. Ye said it a' last wik. I think it wis aboot the worst wik o' my life. Fit wi' you gettin' on tae me tae bide at hame for Lorraine's birthday tea, an' Fergie gettin' on til us a' tae ging tae Hampden. I mean, I wis bein' torn apart.

Aye. An' we ken fit your choice wis. Ye care mair for Fergie than ye div for me.

Bunty, I care mair for Jock Wallace than I div for you.

Fit?!

Jist a joke, Bunty. Onywye, ye said yersel' ye enjoyed watchin' the match on the TV.

Oh, aye. I wis affa pleased John Hewitt got the man o' the match award efter gettin' a baby girlie.

Aye, he wis the daddy o' them a' last wik.

I'll tell ye, Dod. I wis surprised tae see Fergie wis wearing' the same aul' anorak. He's had that for years. Can he nae afford a new een? I mean, that thoosand quid fine they got for beatin' Rangers – he didna ha'e tae pey that himsel', did he?

THE LUCKY ANORAK DIS IT AGAIN.

Dinna be feel, Bunty. That's his lucky anorak. An' spikkin' aboot good luck, I wis standin' aside an aul' boy fae the Broch at Hampden, an' he wis tellin' me aboot this Sooth African mannie leavin' twa hunner thousand tae help pensioners in Fraserburgh.

'At's richt. An' I'll tell ye this. Frunkie Webster's ga'n' tae ha'e a crisis o' conscience aboot that.

Fit wye?

Well, Frunkie's ma still bides in the Broch, an' she wid be een o' the aul' bodies that wid benefit. But ye ken Frunkie's principles. Never ha'e naething to dae wi' South Africa. I mean, hiv ye ever seen Frunkie drinkin' South African sherry?

I've never seen Frunkie drinkin' ony kind o' sherry. I mean, in Glesca on Sunday his aperitif wis a pint o' black an' tan. An' his lunch wis fower mair pints o' black an' tan. He wis ower late for the first two goals an' he wis otherwise engaged fan they got the third een.

I'll tell ye fa got a good view o' a' the goals. The Lord Provost. I saw him on the TV at the finish. Richt in front o' the centre stand.

Did ye notice he didna dae affa weel fan he got a test in the Drive Safely campaign?

Aye. He didna keep his left hand on the steerin' wheel. He'll ha'e learned his lesson, though.

'At's the trouble. He wis nearly in an accident last nicht cos he did keep his left hand on the steerin' wheel.

Eh? Fit wye?

Well, he wis in his official car, an' his chauffeur wis drivin' it at the time.

Snakes alive!
Sewer search for Slither

I'll gi'e you yer due, Dod. You could pick them. You could pick Lester's losers – and back them.

Far's the paper?

Here ye go. Ye're lucky ye've time tae read the paper. Imagine peer Gerry Malone sweatin' on his speech for the openin' o' Parliament the morn.

Ach, It's jist a vote o' thanks he's daein'.

Aye, tae the Queen!

Well, it mak's nae difference. A' he's got tae say is 'Pit yer hands thegither an' lets hear it, folks, for the Queen'. Something short an' crisp like that an' he could dae his political future a power o' good. Come on, Bunty, gi'e's the paper. Is there ony word o' the TV fitba' black-oot bein' sorted oot? It's tragic posterity will never see that hammerin' we gave Celtic on Setterday.

No. It says it's still deadlocked. I wonder fit Archie McPherson'll be daein' wi' himsel' on Setterday efterneens noo.

Well, he'll be able tae devote mair time tae his duties as Lord Rector of Edinburgh University. I mean, fan I saw a story in the paper last wik, 'More University Cuts', I thocht, 'Hello, Archie McPherson's ga'n' tae the barber'.

Weel, it widna be afore time. That's affa hair he's got. It's aboot as bad as Rod Steiger's in Hollywood Wives.

I canna get ower you watchin' that rubbish, Bunty.

You watched it an' a'. And I ken fit for. Ye were waitin' for a spicy bit.

Aye, an' I needna hiv bothered. I've seen mair excitement in Reflections. An' I must say I wis disappinted wi' Angie Dickinson. I used tae funcy her in Police Woman, mind?

Aye, an' noo here she is, turnin' oot tae be the mither o' the murderer chappie. I didna find that bit very believeable.

I quite agree, Bunty. I was the one slight blemish in an otherwise flawless mishmash.

An' I wis disappinted wi' the party scene. I mean, the cameraman must hiv been a learner. A' the big stars that the folk kept spikkin' til – he never seemed tae get ony o' them in the picter.

Well, I did see a waiter that looked affa like the late Groucho Marx, but right enough, apart fae him ...

I wonder if Nancy Reagan's seen it. I suppose she wis a Hollywood wife.

I see Ronnie wints tae share a' his Star Wars secrets wi' the Russians.

I think that's a good idea. I mean, look at that seven RAF boys in Cyprus. If the Russians had kent a' oor secrets already,it wid have been a nonsense spendin' five million quid on a trial. Mind you, it sounds as if it wis a piece o' nonsense onywye.

Ken 'is, Bunty. Fan I read aboot that seven boys, I jist thocht tae mysel', 'There, but for the grace of God. . . .'

An' jist fit div ye mean by that?

Well, fan I wis daein' my National Service at the Brig o' Don Barracks in 1949 I wid have been easy prey for the KGB, Bunty. I mean, it wisna lang efter the war, an' I still thought the Russians wis on oor side. I wid hiv telt the Russians a' thing – if I'd kent onything.

56

But there wisna a lot o' classified information came the wye o' a squaddie in the Gordon Highlanders. In fact, nae tae pit too fine a pint on it, I didna ken naething.

'At's fit yer sergeant telt ye, didn't he?

Slimy Smyllie? Aye. In fact he implied there wis twa bits o' my anatomy that I didna ken the difference atween. He wis a nesty bit o' work, Slimy. Fan I read there wis a snake on the loose in Glesca last wik I thought it wis maybe him. I widna care, he was a little bloke. Looked like Lester Piggott.

He wis aye my favourite, Lester.

Aye, a great jockey, Bunty. Wi' Lester on its back, even een o' David Welch's Clydesdale's wid hiv hid a chunce in the Derby. Lester never accepted he wis on a loser.

No. But I'll gi'e you yer due, Dod. You could pick them. You could pick Lester's losers – and back them. Look at last wik. 'A final flutter on Lester', ye said. An far did he come? Fourth. There's nae money for comin' fourth.

Nae unless ye're Zola Budd. Did ye see fit Zola got fan she lost tae Mary Decker? Ninety thoosand quid, Bunty. I think it's aboot time you went in for amateur athletics.

Did ye see Mary Decker's expectin? I didna ken she wis merried.

Did you think she was a single Decker?

For ony sake, Dod. Ye've made some terrible jokes in yer day, but that must be the worst.

I thocht it wis pretty good, Bunty. In fact, I think I'll send it tae Gerry Malone for his speech the morn. The Queen likes a good laugh.

Fergie in his own write

'It wis a lovely name. Strangely evocative. Part of the rich and mysterious tapestry of the North-east.'

Far's the paper?

I'll gi'e ye it on one condition, Dod.

Fit's 'at?

That ye dinna read the extract fae Fergie's book. 'Cos I'm ga'n tae gi'e ye the book for yer Christmas.

For ony sake, Bunty. That's six wiks yet. I canna wait six wiks. If there's earth-shatterin' revelations tae be read, I wint tae read them noo. I wonder if he'll mention the nicht Bob Hughes wis nearly late for a European match — in fact he wid hiv missed it a 'thegither if Frunkie Webster hidna spotted him in Union Street gettin' on the wrang bus.

Bob Hughes?

Aye, the MP. Him that's jist been made the Shadow spokesman on transport.

Well, yer team hid a gie nerra squeak against Serviette, onywye.

Aye. I must admit it wis touch an' go. Fit a nicht that wis for me. First there wis a great big mannie sat doon in front o' me, an' I couldna get a richt view o' the match. Then, wi' ten minutes tae go he couldna stand it ony longer — he went awa'.

So then you'd got a better view.

Aye. But the last 10 minutes wis that nerve-wrackin' I couldna bear tae watch.

Ye mean for the first eighty minutes ye couldna see an' for the last 10 minutes ye couldna look.

Spot on, Bunty. Ye're fairly in form the day. I think ye were richt aboot the reason for Arnott's closin' doon as weel.

Oh, I'm in nae doot aboot that. They should never hiv changed the name fae Isaac Benzie's. Us folk in

Aiberdeen hid aye hid an Isaac Benzie's. They'd nae right tae tak' that name awa' fae's.

Absolutely, Bunty. It wis a lovely name. Strangely evocative. Poetic almost. Part of the rich and mysterious tapestry of the North-east.

'At's richt. An' it wis the same wi' Marks an' Spencer.

Eh?

They should never hiv changed the name o' that place that they're in. If they'd kept it Raggie Morrison's they wid hiv deen a lot better business.

I ken. They've nae idea, Marks an' Spencer. Ye wonder fit wye they survive fan they ging aboot mak'in' blunders like 'at.

Spikkin' aboot blunders, fit aboot Reagan's een wi' Di. First he spiks aboot ha'ein' an affair wi' her. Then he ca's her David.

I ken. I mean, fair enough he's a bittie raiveled an' ye've tae mak' allowances for him that ye widna mak' for somebody in an ordinary job, but he should be able tae see that fitever else Di is she's nae a David. I mean, ye've never seen onybody ca'd David that looked like that.

No. Nae even Davie Hutchison that bade in Smithfield Road. Mind? He used tae wear his sister's frocks. But he didna ha'e Di's style. I didna think so onywye.

Di wid hiv enjoyed her dunce wi' John Travolta, though.

Oh, aye. You widna understand, Dod, but it can fairly mak' yer nicht if somebody gi'es ye a really good dunce.

59

I'll tak' yer word for it. But I hiv tae admit fan it cam' tae duncin' I wis a lang wye ahin' Gene Kelly.

You were a long wye ahin' Gene Autry. Frunkie Webster, now. He's aye been a snappy duncer. I can mind him at the Palais.

Did ye hear aboot him last Setterday nicht? He nearly did a quick step tae Lodge Walk. I beg its pardon: Queen Street. 'At's somewye else that should never hiv changed its name.

Fit happened tae Frunkie on Setterday?

Well, he wis walkin' doon Skene Street an' he happened tae look up an' he saw this dame tak'in' aff her claes at the windae aboot six or seven fleers up in Gilcomston Land. Well, Frunkie stops tae observe developments as it were fan this bobby comes up an' accuses him o' bein' a Peepin' Tom. Well gi'e Frunkie his due: a bit o' quick thinkin' kept him oot o' trouble.

Fit happened?

Well, he gets a' indignant, an' he says tae the bobby, 'I'm nae a Peepin' Tom. I'm standin' here keepin' a look-oot for Halley's Comet'.

Gold medal winner set for plunge into panto

OLYMPIC gold medallist swimmer Duncan Goodhew takes his first plunge into panto in Aberdeen this year.

And he joins a cast of top stars for this year's production of Dick Whittington at His Majesty's Theatre.

Duncan appears with a cast headed by top comedian Eric Sykes with Russell Hunter and Fiona Kennedy.

And with panto bookings up 29% on the same time last year, theatre management are looking forward to a bumper season.

TRADITIONAL

The first question from Duncan arriving at Aberdeen was "Where's the pool?"

"I always like to have one near — and I hear there is one just nearby," said Duncan, looking forward to his Aberdeen acting debut.

By JEAN McLEISH
PICTURE
DOUG CARNEGIE

He plays alongside Jan Hunt as Dick Whittington, Edward Brayshaw and John Hewer.

"This is a traditional panto — often a first taste of theatre for children — it's always exciting," said Eric Sykes.

And a sweet treat it is in line for early birds at the box office.

For Terry's, who make Harlequin chocolates, is sponsoring the Paul Elliott production and has presented the theatre with 13000-worth of chocolates to give away at the box office.

Everyone will get some sweets when they book at the box office before we open on December 6. We have 50,000 chocolates to give away," said Mr James Donald theatre director.

The panto runs from December 6 to January 4.

Stars of this year's pantomime "Dick Whittington" (l-r) Eric Sykes, Jan Hunt, Duncan Goodhew and Russell Hunter pictured at HM Theatre today.

'You must be aboot the aul'est groupie in Scotland.'

Far's the paper?

Hud on a minute. I jist wint tae look up the advert for the panto at the theatre.

Oh, nae the pantomime, Bunty. Naething'll ever get me intae a pantomime. I mean, fair enough, fan the kids wis little we used tae tak' them, but –

Well, the tables are turned, Dod. They wint tae tak' us Gary an' Michelle an' Lorraine an' Alan are ga'n' tae tak' us tae the pantomime on Christmas Eve, an' then somewye nice for wir supper. The Happy Valley maybe.

Page 4 for the pantomime advert, Bunty. Fa will we be seein' in it?

Oh, here's the picter o' them a'. Hey, I thocht he wis deid.

Fa?

Yul Brynner.

It canna be Yul Brynner. Let's see.

Is it Telly Savalas, maybe. 'Ken? Kojak.

No, no. It's Duncan Goodhew.

I didna ken he wis an actor.

Oh aye. I kent he'd ta'en the plunge. Good luck til'im, I say. I mean, it worked for Johnny Weissmuller.

I'm lookin' forward til't, Dod. That'll be anither nicht at the theatre for me.

Of course – ye wis at Sydney Devine last wik.

He wis fabulous, Sydney.

For ony sake, Bunty. You must be aboot the aul'est groupie in Scotland.

There wis a lot aul'er than me there. Grunnie Middleton alang the road wis there. Wearin' her 'I love Sydney' T-shirt.

I widna care, she got that twa year ago fan she went her holidays tae Australia. But Bunty I canna understand a rational thinkin' woman like yersel' – a lifelong reader o' the People's Friend an' a fan o' Melvyn Bragg – ga'n' tae see Sydney Devine. Well, actually I can understand it. It's sex appeal.

Thanks very much, Dod. But I dinna think Sydney noticed me.

Nae *your* sex appeal. His. 'At's a' ye went for.

Well, you canna spik. Fa wis glued tae the TV for an hoor an' a half on Thursday nicht, watchin' Miss World?

I didna wint tae watch it, Bunty. I thocht *you* wis watchin' it or I wid hiv switched ower tae something else. There wis a programme aboot crop-sprayin' an' irrigation in Sri Lanka that I wis affa sorry I missed. I'll tell ye, though. I still think Miss Jamaica should've won. I thocht she wis in a different league.

Aye, it wis the Highland League. She wis born in Torphins. She wis Miss Tullynessie, 1973. No, no, ye're richt enough, Dod. She wis the bonniest. The judges got it a' wrang, as usual.

62

Judges! Far did they get that lot fae? Duncan Good-hew? He should stick tae bein' an actor. Graeme Souness? I hope he mak's a better job o't the morn at Hampden.

I'll tell ye anither thing aboot Miss World, Dod –

Michty, Bunty, ye're gettin' mair excited aboot it now than ye wis durin' the programme. The only time ye got worked up on Thursday wis fan ye saw Jack Jones had a sair hand.

Hud yer tongue, Dod. This is serious, this. I looked at a' thae beauty queens fae a' ower the world, an' I mean I'm nae biased or naething, but I jist thocht, 'Oor Lorraine's bonnier than ony o' them'.

'At's exactly fit I thocht, Bunty. And I pride myself that I can remain totally objective in these situations. Mind you, Lorraine micht hiv been caught oot by the interview. But fa widna hiv been? I mean, could they nae hiv got somebody better tae dae the interviews? For a big do like Miss World ye'd think they wid aye check that Robin Day wis available.

Some o' the lassies come fae some affa funny countries. I hidna heard o' half o' them. An' fit aboot this African mannie that's in the paper the nicht? Far does he come fae? Chief Okerentugba Thompson. There's twa or three o' his wives an' a dizen or twa o' his bairns been ower here for a whilie.

Read oot his name again, Bunty.

Okerentugba Thompson.

Nuh, I canna place him. I mean, we ken quite a few folk ca'd Thompson, but there's nae an Okerentugba amon' them.

No. But it jist proves it. It must be true fit my mither aye says.

Fit's 'at?

It disna metter fa ye are or far ye come fae, we're a' Jock Tamson's bairns.

TV held at bay

AMID scenes straight from a Whitehall farce, Britain's MPs have voted to keep television cameras out of the Commons.

Ken 'is Dod? I canna be daein' wi' Paisley ... that muckle great Irish mannie.

Far's the paper?

I'm jist finishin' it. Ken 'is, Dod? I canna be daein' wi' Paisley.

I ken. Love Street's never been a lucky grun' for the Dons. 'At wis a bad result on Setterday.

Nae that Paisley. Ian Paisley. That muckle great Irish mannie that's been shoutin' the odds against this new agreement.

Oh, him. The whisperin' baritone? The Val Doonican of Westminster?

Aye. D'ye notice he's baith a doctor and a reverend?

Yes, Bunty, I suppose these two titles symbolise what a caring, Christian fellow he is.

An' he's an affa size, is he?

Oh, aye. He's a weel-biggit bigot.

I'll tell ye one thing, Dod. The Hoose o' Commons has voted against bein' televised. So at least we'll be spared ha'ein' tae watch Paisley rantin' awa'.

Aye. But I think on the whole it wis a bad decision, Bunty. I speak not only as a devotee of the democratic process and a lifelong advocate of open government, but also as somebody that enjoys watchin' a richt good shoutin' match.

Well, ye would've really enjoyed Mrs Rennie an' Mrs Forbes in the butcher's yesterday. I'm tellin' ye Dod, they made Thatcher an' Kinnock sound like Anne Ziegler an' General Booth.

64

Webster.

No. Frunkie wisna there.

For ony sake, Bunty. Ye're spikkin' aboot the man-
nie that started the Salvation Army.

*Frunkie Webster? He didna start the Salvation Army.
He gey near finished it ae day fan he wis oot walkin'
yer brither Albert's whippet an' it got loose amon' the
Salvation Army band.*

Michty, aye. I can mind that day, Bunty. It wis
something else, yon. I mean, I'd seen dogs jumpin'
through hoops afore, but never a big drum. But
gettin' back tae the Hoose o' Commons, Bunty, I
thocht it wis a poor show Mrs Thatcher votin' against
lettin' the cameras in.

*I ken, I mean, it's a'richt for her. There's never a wik
passes but fit she's on the TV. She should let some o'
the ither boys get a shottie. An' televisin' Parliament's
the only chance they'll get. I mean, ye canna imagine
Alick Buchanan-Smith on Game for a Laugh or
Albert McQuarrie on Mastermind.*

Richt enough, Bunty. Look at last wik. I mean,
maist o' the stuff ye see on TV's enough tae mak' ye
greet, so ye switch on wir great leader for something
inspirin', something upliftin', ken. An' fit div ye
get? A wumman o' sixty ga'n' on aboot mummy and

daddy an' then bubblin' an greetin' a' ower yer livin' room fleer at the thocht o' her aul'man gettin' pit aff the cooncil. Mind you, Frunkie Webster's Auntie Vera grat for days fan his Uncle Joe wis kicked aff the Aiberdeen cooncil.

Aye, but Vera wis greetin' at the thocht o' ha'ein' Joe in the hoose a' day gettin' in her road. Plus, he widna be bringin' hame nae mair free fags efter his Common Good Fund lunches.

Is 'at richt, Bunty? Well, it's jist as weel politics is conducted on a higher plane at superpower level. Look at that statesmanlike encounter at Geneva. Superb.

Awa' ye go. It's nae big deal that they baith agreed there shouldna be a nuclear war. I mean, you an' me agree aboot that. It's aboot the only thing we div agree aboot.

Oh, aye. But ye've got tae admit a fireside chat atween you an' me's a bittie different fae a fireside chat atween Reagan an' Gorbachev, Bunty.

Aye, an' I'll tell ye the biggest difference: they hid a much better fire than fit we ever ha'e.

I will admit, Bunty, that wis a rare burnin' fire they hid.

I mean, I dinna ken fit kind o' coal they were burnin' on that fire, but compared wi' the stuff you bring hame fae the newsagent – yon's affa dirt o' coal the newsagent sells. An' it's affa stuff tae licht. I mean, the Zips an' Drummer Boys that I ging through gettin' that coal tae licht. I wonder fa lit the fire for them at Geneva. Wid that hiv been Nancy's job?

No. I think it wid hiv been Mrs Gorbachev's. She wid be mair o' a fire-Raisa. Get it Bunty? ... Oh, never mind. But I'll tell ye, I dinna think there wis coal on that fire. I think it wis cloggies.

Well, fit a rare blaze it wis! An' you gi'ed me a row last winter for buyin' cloggies fae a mannie at the door.

Nae wonder. They were soakin' weet. I mean, the smoke they made! There wis 'at much smoke comin' oot o' oor lum the twa Reid Indian students next door thocht we were tryin' tae get a message tae them, and yon Catholic femily in the next street thocht there'd been a new Pope elected.

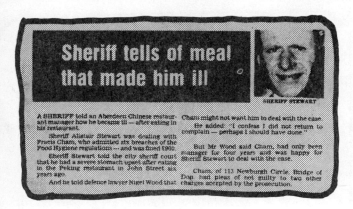

Sheriff tells of meal that made him ill

A SHERIFF told an Aberdeen Chinese restaurant manager how he became ill — after eating in his restaurant.

Sheriff Alistair Stewart was dealing with Fracis Cham, who admitted six breaches of the Food Hygiene regulations — and was fined £900.

Sheriff Stewart told the city sheriff court that he had a severe stomach upset after eating in the Peking restaurant in John Street six years ago.

And he told defence lawyer Nigel Wood that Cham might not want him to deal with the case.

He added: "I confess I did not return to complain — perhaps I should have done."

But Mr Wood said Cham, had only been manager for four years and was happy for Sheriff Stewart to deal with the case.

Cham, of 113 Newburgh Circle, Bridge of Don, had pleas of not guilty to two other charges accepted by the prosecution.

SHERIFF STEWART

'I'm nae sure there is sic a crime as drunk in charge o' a collectin' tinnie.'

Far's the paper?

I've got it here. I'm tryin' tae mak' oot fit this headline means: 'Union St will resign'. Fit dis 'at mean?

Well bits o' it's ga'n' tae be a pedestrian precinct ower Christmas, so I suppose in a manner o' spikkin' it'll be resignin' fae bein' the main traffic thoroughfare. But it's a funny wye tae pit it, Bunty. It's nae usual tae spik aboot a street resignin'.

Well, but 'at's fit it says. Look.

For ony sake Bunty. That disna say, 'Union St will resign'. It says 'Unionists will resign'. The Ulster Unionists. They're a' ga'n' tae resign their seats 'cos they dinna like this new agreement. Ian Paisley an' a' that lot.

So Paisley'll be oot? So this agreement's deen some good already?

No, no. A' the sittin' members are ga'n' tae tak' a stand an' gie up their seats. Then they'll stand again so that they can carry on sittin'.

Seems feel tae me.

Weel, it is a bittie Irish, Bunty. But all part of the rich tapestry of life in our wonderful democracy. I mean, in fit ither country would the owner o' a chinkers, up afore the sheriff for keepin' his cairy-oot cartons in a fool boxie, discover that the sheriff had personal experience of the gastric consequences of eatin' at the place?

I ken. I read aboot that. I wis surprised at a sheriff ga'n' tae a place like 'at I mean, a sheriff wid get a pretty good screw, wid'nt he?

Oh, aye. But it jist shows fit a democratic country this is, Bunty.

I suppose so. But hey, Prince Charles isna affa happy aboot this country. Did ye see he wis sayin' we should be mair like America?

Well, if we were, *he* **widna ha'e a job for a start.**

An' he thinks we'll seen be a fourth-rate country.

Well, Charles is entitled tae his opinion, but personally I canna see us improvin' that much.

Oh, come on, Dod. There's aye somebody daein' something great in this country: Ian Botham walkin' fae John O'Groats tae Land's End; you clearin' the sna' aff the front path last wik.

Nae need tae be sarcastic Bunty. It was sub-Arctic conditions. It took a bit o' daein', clearin' that path.

Awa' ye go. It only took ye twenty minutes. I kent it widna tak' ye lang. I mean, afore ye went oot the door there wis nae need for ye tae say: 'I'm just going outside. I may be gone for some time'. Ye aye exaggerate things, Dod.

For ony sake, Bunty, that wis a joke.

68

Well, I didna get it. I still dinna get it. It disna seem affa funny tae me.

Bunty, that wis a jocular reference tae een o' the boys that went tae the Sooth Pole wi' Captain Scott. Oates. Titus Oates. He felt he wis bein' a burden on the rest o' them –

Like Frunkie Webster says you are on the branch executive committee?

– so he walked oot o' the tent. An afore he went oot, he said, 'I'm just going out. I may be gone for some time'.

An' fit happened til him?

Well, naebody ever saw him again.

So he dee'd?

Well, Bunty, that's a possibility that certainly canna be ruled oot. I mean I think we'd have heard aboot it if he survived an' started up a winter sports complex doon there or onything like 'at. Full marks til him, though.

Aye, an' full marks tae Ian Botham, Dod.

Absolutely, Bunty. I jist hope a' that walkin' hisna affected his out-swinger.

I dinna think he should've punched the bobby, though.

Now, we dinna ken for sure that he punched the bobby, Bunty. There's conflictin' stories aboot that dust-up. But I'll tell ye. The bobbies can be pretty officious sometimes. I mind a similar thing happened tae me fan I wis daein' my bit for charity, like Botham's been daein'.

You?

Aye. D'ye nae mind? Twa or three years ago? You got me roped in tae sell flags in Union Street for the Cruelty.

Oh, aye.

An' efter my lunch this bobby cam' up an' insisted on me movin' on fae far I wis – jist ootside the Grill.

Well, ye were lyin' flat on your back jist ootside the Grill.

Well, well, but there wis nae need for him tae harass me.

Did he harass ye? I hope ye stood up til him.

I did. I stood up fower or five times. Every time I fell ower I stood up. But fan he threatened tae charge me, I capitula'ed. Mind you I'm nae sure if there is sic a crime as drunk in charge o' a collectin' tinnie.

WORLD CUP SPECIAL

Keeper's heroics win final place for Scots

A BIG HAND FOR JIM THE SAVIOUR!

AUSTRALIA'S lack of the killer touch, combined with a masterly performance from goalkeeper Jim Leighton, saw Scotland safely through to next summer's Mexico World Cup finals in Melbourne today.

Although the Scottish defence had a number of anxious moments, they held out for a 0-0 draw which gave them a 2-0 aggregate victory.

If there hid been TV in oor day, we widna hiv got it.

Far's the paper?

I'm pleased tae see ye feel able tae read it, Dod. I wis worried aboot ye last wik.

Last wik?

Aye, last Wednesday mornin', jist afore the Scotland-Australia match, fan ye took that terrible pain in yer chest an' couldna ging tae yer work.

Ye didna think it wis onything serious, did ye, Bunty?

Well, you obviously didna, or ye couldna hiv kept watchin' that fitba' match. If ye'd hid onything wrang wi' yer hert at a', you widna hiv survived 'at first half.

Awa' ye go, Bunty. There wis never ony danger o' Australia scorin'. I jist wish the rest o' the Scottish team wis as good as the defence. Onywye there wis nae need for ye tae phone the doctor. And certainly nae need tae say it wis an emergency.

It's jist as weel it wisna. The receptionist lassie said the doctor was tied up at an urgent meetin' till eleven o'clock that mornin'.

And of course, fan did he come, Bunty, he agreed wi' me.

Aboot there nae bein' naething serious wrang wi' ye?

No. Aboot the Aiberdeen players bein' the best, Graeme Souness bein' jet-lagged an' Hugh McIlvanney bein' useless. Fa is he, that McIlvanney bloke, onywye? Surely they could've got somebody better than him tae dae the summarisin'. 'At wis nae match tae try oot a novice. Peer bloke: he'll never mak' naething o't as a journalist. I mean, I couldna see him ever gettin' a job wi' the Evening Express.

Did ye see there's been a row because some schools let the bairns watch the match? The teachers said it was a TV period onywye.

Bunty, I wis shocked fan I read that. Fit's the world comin' til? Bairns watchin' TV fan they should be sayin' their tables or gettin' learned richt grammar. I mean, fan we wis at the school we never got TV.

Fan we wis at the school there wis nae TV tae get.

That's entirely beside the pint, Bunty. If there *hid* been TV in oor day, we widna hiv got it. Yon psychopath that we hid for maths at Hilton — he wid never hiv let us watch TV — nae as lang as there wis a simultaneous equation left unsolved or a theorem left unproven. I mean, if that mannie's still alive, I bet he still disna watch TV: I bet he's daein' trigonometry fan a'body else is watchin' Coronation Street.

Did ye see Coronation Street wis ha'ein' a party? It's 25 year aul' this wik.

Aye. Div ye think it's ga'n' tae catch on, Bunty? I must admit I enjoy it. But there's some affa rubbish on the TV. Ye really hiv tae be selective in yer viewin', hiv ye? I like watchin' the current affairs programmes. Aye, fan there's nae darts or wrestlin' on.

Well, I blame you for keepin' me oot o' my bed tae watch that by-election last wik. Fit a waste o' time. Even Robin Day said it wis borin'.

Now, now, Bunty. There wis a lot o' different lessons tae be learned fae that result, dependin' on fit party spokesman ye were listenin'.

DIV YE LIKE REINDEER, OR DIV YE PREFER SNA', DARLIN'?

'At's richt. I heard a Tory mannie sayin' it wis a great result for them. Better than they could've hoped for, he said.

'At sounds like Tom King pittin' his fit in it again. He'll be aff Mrs Thatcher's Christmas card list, that bloke.

Dinna spik tae me aboot Christmas. I wis in Union Street on Setterday efterneen. Terrible.

The lichts, ye mean? Div ye nae like the clowns?

I wisna spikkin' aboot the lichts. But no, seein' ye've asked, Dod, I dinna like the lichts. Clowns an' seals. I dinna like seals. Reindeer, now. I wid like them. They're a lot mair Christmassy. Div you like reindeer?

No. I prefer sna', darlin'. Ha! ha! Rain, dear. Sna', darlin'. Get it, Bunty?

For ony sake, Dod. It's the crowds in Union Street I wis spikkin' aboot. It wis absolutely mobbed. Folk couldna get moved.

I ken. I wis in Union Street mysel' on Setterday. Pandemonium. An' this Christmas shoppin' brings oot the worst in folk. I wis assaulted, ye ken, Bunty. This wifie bashed me wi' her shoppin' basket.

Far aboot?

Near Woolie's. An' I says til her 'Hey', I says, 'far's the Christmas spirit?'

And fit did she say?

She says, 'Try Agnew's'.

Bursting with enthusiasm for superloo!

ABERDEEN, faced by an acute shortage of public toilets, may solve the problem by introducing superloos.

They will be fully automatic, vandal-proof,

in 1956, but many were without hand-washing facilities. Fifteen were maintained by the harbour board, and today there are no public toilets in the harbour area.

Superloos are known officially as APCs (automatic public conveniences) and the French superloo is more automatic than most. One of the benefits is that you don't have to

'It says there's ga'n' tae be bagpipe music in the new superloos.'

Far's the paper?

Jist a minute. I'm readin' aboot the grand new lavvies we're ga'n' tae be gettin'.

We're nae needin' ony mair lavvies. There's jist the two o's noo, Bunty. One lavvy's quite sufficient. Even on the nichts ye mak' curry, we can manage fine. Wi' a bit o' forward plannin'.

Nae in the hoose, ye feel. In Aiberdeen: public *lavvies. It tells ye here in the paper. We're ga'n' tae be gettin six European style superloos. Look, there's a lang report about it.*

I see that. A nice plug for them fae the Evening Express, ye micht say.

Aye. It says, 'Director of cleansing David Stephen reported that a number of public toilets in the city had fallen since 1956' – a bit embarrassin' if ye'd been in een fan it fell, eh, Dod?

Jist a minute. See's a look at that. For ony sake, Bunty. He didna say *a* number had fallen. He said *the* number had fallen – fae 54 in 1956 tae 28 in 1985.

Well, 'at's 26 gone. Far did they ging til, if they didna fa'? I think we should get full details o' that missin' lavvies. I mean, fit happens if ye're rushing for een in an emergency an' it's nae there. Nae good for ye that.

Well, Bunty, my guess is maist o' them'll hiv been converted intae craft shops. Hiv ye noticed there's an affa lot o' craft shops nowadays?

Aye, 'at could be it.

Or, I'll tell ye: they could've been converted intae buildin' society offices. Maist ither things hiv been. Buildin' societies'll tak' ower onything.

73

Nae quite onything, Dod. There's a bit in this paper aboot a survey o' guest hooses in Aiberdeen. Some o' them sound really crummy.

Oh, aye. An' I mean, ye dinna mind the squalor, but it's the overcrowdin'. I mean, I'm sorry, Bunty, but yer Uncle Joe an' yer Auntie Alice is a case in pint. I hope they've had the nesty letter fae the environmental health boys. I can see their advert noo: 'Wanted, two quiet female students to share bedroom.' It was only fan the lassies moved in they discovered they'd tae share it wi' Joe an' Alice.

At least it wis clean, Dod.

True enough, Bunty. Some o' that ither places must be the pits, as John McEnroe wid pit it.

Oh, hey! Fit aboot him an' Tatum O'Neal. It's in the paper here. 'A baby on the way.' Now Dod. Nae jokes aboot McEnroe's service.

Me? Joke aboot McEnroe's service. Bunty, you can not be serious. I'll tell ye, though. I'm sorry for thon Tatum lassie. Fan the bairn comes, that'll be twa she'll ha'e tae cope wi'.

Spikkin' aboot bairns, fit aboot that row in the Hoose o' Commons last wik? Ye couldna get onything much mair childish than yon.

Democracy in action, Bunty. A noble spectacle.

Awa' ye go. Funcy Norman Tebbit sayin' he wid eat Neil Kinnock for breakfast.

I ken. I wiz amazed at that. I dinna ken fit wye folk can eat a big breakfast. A cup o' tea an' a bit o' toast dis me.

I thocht the 'hale thing wis a disgrace. 'At MPs, they're jist a bunch o' bairns.

That's maybe the wye it's ca'd the mother o' parliaments, Bunty. Now, could I ha'e the paper, please?

Aye, in a minute, Dod. I'm sorry, but I've jist noticed something else aboot the new superloos. It says there's ga'n' tae be bagpipe music in them.

Awa' ye go. 'At canna be richt.

Well, it says it here. Michty me, 'at'll be terrible. Bagpipes is a' richt in the open air. But nae inside. An' certainly nae inside a lavvy.

I wid hiv thocht a chanter wid be the instrument for a lavvy. Nae a full set o' bagpipes. See's anither look.

There ye are, look: 'Self-contained toilets, which will have pipe music and high standards o' hygiene'.

Nae pipe music, Bunty. *Piped* music. Records comin' oot o' the wa'. As you sit there, Bunty, ye'll be able to hear Frank Sinatra singin', 'I did it my way'.

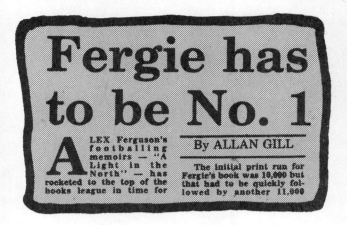

Fergie has to be No. 1

By ALLAN GILL

ALEX Ferguson's footballing memoirs — "A Light in the North" — has rocketed to the top of the books league in time for

The initial print run for Fergie's book was 10,000 but that had to be quickly followed by another 11,000

I thocht ye wid like Fergie's book. The only trouble is: that's fit a'body else thocht.

Far's the paper?

Did ye nae read it afore we went oot?

No way, Bunty. I hidna time. I wis sprucin' mysel' up.

That wis you spruced up wis it?

Yes. Did ye nae smell the aftershave?

Oh, I smelt it a' richt. It's jist a peety ye didna shave afore ye pit it on. 'At's the wye it's ca'd aftershave, ye ken. Ye were a bit scruffy tae ging tae the theatre, Dod.

Ach, it's dark inside the theatre. Naebody could see me. An' it wis even darker in 'at restaurant we went til. At the prices they charged ye'd ha'e thocht they could have managed a bit mair licht.

'At's ca'd subdued lightin', Dod. It wis a lovely place. It wis affa good o' the bairns tae tak' us there.

It must hiv cost them an airm an' a leg, that meal, Bunty. £1.50 for half a toma'a? Gee whiz.

Div ye ken if Gary an' Alan split it doon the middle?

No, no. It came cut in half.

Nae the toma'a. The bill.

Oh, the bill. No, I heard Gary sayin' tae Alan, 'I'll get it. You pay me your half fan the teachers get their pay rise'. Gary must be mak'in' a mint oot on 'at rigs tae be able tae mak' a deal like 'at.

Lorraine an' Michelle were baith lookin' affa bonny, were they? Bein' pregnant suits Michelle. I mind fan I wis pregnant wi' Gary it didna suit me at a'.

I didna suit me affa much. We werena merried.

Did ye enjoy the pantomime? I like that Russell

75

Hunter. He's better on the stage than he is on TV. I'm nae keen on his chat show.

Russell Hunter hisna got a chat show. You're thinkin o' Russell Harty.

Is he nae the fat astrologer?

For ony sake, Bunty. It's impossible tae ha'e an intelligent conversation wi' you.

Dinna get ill-natered now. Anither five minutes an' it'll be Christmas. Ye've been ill-natered enough this past wik.

Nae much wonder. Losin' tae Dundee United. Fergie gettin' sent aff. An' I still hinna got ower the World Cup draw.

For ony sake, Dod. Ye said efter the Australia match Scotland wid be better fan they got mair skilful teams tae play against. Well, they've got them. So fit are ye complainin' aboot?

Oh, we're nae feart at naebody, Bunty. But I jist hope we get Morocco in the next round and Canada in the final.

That reminds me. Did ye see the cards that came the day? There's een fae Maureen an' Joe in Vancouver. It's a lovely card. Sold in aid of Amnesty International.

Oh, that must mean they're spikkin' tae een anither this year.

Fit a job I hid daein' wir ain cards this year.

Fit wye? We've been workin' aff the same list o' names for 20 years.

I ken. But there's that mony marks and changes on it. I wisna sure fit I should be daein' sometimes.

It's quite simple, Bunty. If there's a tick, it means we sent them een last year, an' a second tick means they sent een tae us. A tick an' a cross means we sent een tae them, but they didna send een tae us, so they shouldna get een this year.

I understand a' that. It wis the question marks I couldna understand.

Well, there's a few things a question mark can mean, Bunty. It can mean we're nae sure o' the address. Well, tak' Charlie an' Molly Urquhart in Australia. We've got their address as Mr and Mrs C. Urquhart, ?235/?352/?523, ?Glanville/?Granville/?Grenville ?Avenue/?Road/?Street, ?Sydney/?Melbourne/ ?Brisbane. That's fit we pit on their card last year. Of course maybe they didna get it. The Australian postal service is affa unreliable.

But fit aboot Stan and' Winnie Ironside? They've got a question mark. But we ken their address a' richt.

Well, in their case, Bunty, the question mark means we've gone aff them since last Christmas, efter fit Winnie said aboot your frock at Lorraine's weddin'. So the question is, 'Noo that we dinna like them, should we still send them a card?'

For ony sake, Dod. Are ye sayin' that jist because ye dinna like folk, ye dinna send them a Christmas card?

No. Ye're quite right, Bunty. Stupid of me. That philosophy wid decimate the 'hale Christmas card industry. Hiv ye got a card left? A cheap een. You write a warm seasonal greetin' on it, an' I'll nip roon' the corner an' stick it through their letter box.

Awa ye go. Nae efter fit happened on Friday.

Friday? Fit happened on Friday?

I'm nae surprised ye canna remember, Dod. On Friday you had the bright idea that we'd save a lot o' money on stamps if you took a pile o' wir local cards an' delivered them yersel!

Well, a lot o' folk dae that, Bunty.

Aye, but they dinna a' fa in wi' Frunkie Webster an' adjourn tae the Star an' Garter afore they get started. Foo much did ye spend in there? We'd hiv been a lot cheaper buyin' stamps.

Bunty, I didna spend a penny in the Star an' Garter. We got chucked oot.

Chucked oot?

Chucked oot o' the Star an' Garter for the first time since Ginger Williamson's stag nicht the day efter the Coronation. It's a' changed now, the Star an' Garter, Bunty. And they're very fussy aboot dress.

77

They dinna like folk wearin' jeans an' trainers efter seven o' clock.

But you werena wearin' jeans an' trainers.

Exactly. I says tae the boy ahin' the bar, 'OK, ye dinna like jeans and trainers, but I dinna see nae notice that says ye canna wear dungars an' jimmies'. But he was not impressed, Bunty. So me an' Frunkie made a strategic withdrawal in the direction of the Grill, where we met up wi' Eddie Mutch an' the aforementioned Ginger Williamson.

Oh, he's got ower his stag nicht, his he?

That's in very poor taste, Bunty, Ginger's been through a lot since that stag nicht.

Well, three ither stag nichts for a start. This latest dame's his fourth wife, isn't she?

Ye mean, 'Wisn't she?' She's awa fae him now. It jist lasted three months. Well, of course, we hid tae get the 'hale story aboot that, an' afore we kent far we were it wis closin' time.

So foo much did ye spend in the Grill?

Well, it *wis* a bittie mair than the stamps.

Ye mean a bittie mair than the stamps wid hiv been?

Well, no. By the time we cam' oot o' the Grill, I'd forgotten a' aboot the cards, an' fan I found them in my pooch the next day, a' I could dae wis buy stamps an' post them.

For goodness' sake, Dod. If I'd kent that I widna hiv bocht ye that expensive gift. Hey, ye can open it now. It's efter midnicht.

Thanks very much, Bunty. It feels like a book. It is a book. Fergie's book.

Aye. I thocht that's fit ye wid like. The only trouble is that's fit Gary an' Michelle thocht an' a'. And Alan and Lorraine. And my mither. And Auntie Alice. And Uncle Matt an' Auntie Flo. An' here's anither een fae Frunkie Webster.

Frunkie Webster. The eejit! That's fit I gi'ed him. An' I'd a richt good read o't afore I parcelled it up.

TV gardener Dick axed by Beeb

DICK GARDNER
...disappointed.

Frunkie flaked oot efter he guessed the capital o' Chile wis 'Concarne'.

Far's the paper?

Ye're nae ga'n' tae read the paper wi' Frunkie lyin' there, are ye?

Well, he's nae ga'n' tae object, the state he's in. An' he's nae ga'n' tae interrupt either. So, yes, Bunty. I *am* ga'n tae read the paper wi' Frunkie lyin' there.

For ony sake, Dod. I mean, I like Frunkie fine enough, but of a' the nichts tae get bleezin'. Hogmanay.

Yes, it is a little unusual, Bunty. But that's Frunkie Webster — always the individualist.

Dolly'll be fruntic, wonderin' far he is. She ave likes Frunkie an' her tae see in the New Year thegither.

Well, by the look o' him Frunkie winna see in the New year till aboot Setterday. Wait a minute. I'll try an' whisper some thing intae his subconscious. 'Aberdeen, Aberdeen, Aberdeen'. 'We're gonna do it for you'. 'One Frunkie Webster, there's only one Frunkie Webster'.

Wheesht, Dod. Fit a noise. It's enough tae waken the deid.

Nae the deid drunk, though. Ken 'is Bunty? I think we're stuck wi' him.

Surely no. Watch yersel' – I'll gi'e him the kiss o' life.

I think that's deen the trick, Bunty. His eyes flickered, an' he said something.

Fit?

He said, 'Onything but that'.

Bloomin' chik! Oh, he's passed oot again. Fit wye did he get intae a state like 'at onywye?

Well, efter wir work we went tae the Bilermakers' Club for a Hogmanay half pint.

79

Oh, aye. A half pint.

That wis a' we were ga'n' tae ha'e, Bunty. But twa or three o' the boys had got Trivial Pursuit for their Christmas . . .

Fae Sunty?

'At's richt. Well, Eddie Mutch had brocht his wi' him. An' he started askin' some o' the questions, just for fun, ken? Well, a spirit of healthy competition wis' generated, a'body got a bittie involved, an' we hardly noticed we were orderin' mair drinks. An' well, tae cut a long story short, twa mair o' the boys went hame for their sets an' we organised a Trivial Pursuit championship.

In the Bilermakers' Club? On Hogmanay?

'At's richt. An' three hoors later, at the climax o' the final game, Frunkie Webster flaked oot. Whether it wis the tension, or the unaccustomed intellectual activity, or the . . .

Or the drink?

Well, 'at's an interestin' theory, Bunty. It's jist possible it wis the drink. Onywye Frunkie flaked oot jist efter he failed tae guess the capital o' Chile.

Chile? Fit did he say?

'Concarne'. It sounded possible tae me, but apparently it wis wrang. Onywye, richt or wrong, at that pint Frunkie wis oot o' the game, so I brocht him back here in a taxi tae sober him up afore he went hame tae bring in the New Year wi' his loved-ones. And that is the current state of play, Bunty.

But it's five tae twelve. If he's still here at twelve o'clock, he'll be wir first fit.

Question, Bunty. Can a man who is legless be a first fit? Onywye fit if Frunkie *is* wir first fit? He wis last year, an' we'd a pretty good year. Lorraine got merried; I pit up the bathroom cabinet that fell doon the day o' Charles an' Di's weddin'; the folk next door's stereo packed in; your hairdresser retired; an' Michelle's expectin'. 'At's a' thanks tae Frunkie.

I suppose we hiv *hid worse years.*

Too true, Bunty. Fit year did we get married?

But 1985's fairly ga'n' oot like a lion. I canna be daein' wi' the sna'.

I'll tell ye one good thing aboot it, Bunty. Fan there's sna, on the grun', my gairden looks as good as onybody else's.

Fit aboot that boy Dick Gardiner that's nae gettin' back on tae the Beechgrove Gairden?

I ken, bloomin' shame. It wisna his fault the convolvulos went mouldy an' the parsley went broon. Accordin' tae Frunkie there, the smell o' drink that comes oot o' the BBC Club — it's a wonder onything grows in the Beechgrove Gairden.

Fit dis Frunkie ken aboot it He's never been at Beechgrove.

He his. D'ye nae mind? He wis interviewed by Robbie Shepherd aboot the miners' strike. The BBC wis daein' an in-depth documentary and they winted an authoritative North-east trade union view.

I sometimes wonder if the BBC kens fit it's daein'. Look at this heid bummer boy, the director general, Alasdair Milne, askin' folk tae let him ken if they see ony violence on the TV.

In case he's missed it? I'll tell ye, Bunty, it's as weel the TV cameras werena at the West Kirk o' St Nicholas' Christmas Eve service. There wis some real aggro there. They had tae pack it in.

I thocht yon wis shockin'. Mind you I widna ging as far as the mannie in the congregation. Did ye see fit he said? 'Bring back floggin', hangin' . . .

Admirably Christian sentiments, Bunty.

'. . . an' National Service.'

In that order?

That's fit he said.

Well, I didna exactly enjoy my National Service, but I widna hiv rated it worse than gettin' hung. There wisna a lot in it, though, some days.

I canna see National Service comin' back. Nae wi' Heseltine in charge. He's ower busy wi' his helicopter deal. Did ye see he hid tae cancel his femily holiday in Nepal? Bloomin' shame. It's like the McIntyres last

Christmas, mind? The grunnie fell aff the steps pittin'
up the Christmas tree lichts, an' neen o' them got tae
the Dunblane Hydro.

I've never fancied Nepal.

I've never heard o' Nepal.

Oh, come on, Bunty, surely. See Nepal an' die?

Di's nae there is she? Fit aboot her duncin' wi' Wayne
Sleep? I think it's terrible the wye the papers made a
big splash aboot that. I mean, Di jist wints tae be left
alane tae lead an ordinary life wi' nae publicity.

Absolutely. An' efter a' she's nae daein' onything
Queen Victoria didna dae. She wis a great een for
sneakin' on tae a stage an' gettin' mannies tae birl her
aboot.

Ye canna keep the Royal Femily oot o' the news. Fit
aboot Mark Phillips gettin' kicked?

By Princess Anne?

No. By a horse.

A horse kicked him? 'At's queer, 'at. I wis readin' an
article in the Readers Digest aboot the derivation o'
names, an' it said that Phillips came fae two Greek
words mean' 'lover o' horses'.

Well, it's a peety his horse disna spik Greek.

I enjoyed the Queen's broadcast on Christmas Day.
It wis real chikky o' her tae pit on a blue frock an' dae
her Mrs Thatcher impersonation tellin' us a' that
upliftin' success stories aboot British private enter-
prise.

Oh, aye, like the Scottish factory that exports darts tae
40 different countries.

Aye. Mind you, I believe the pygmies ha'e an affa job
gettin' them intae their blow-pipes. But eence they've
got them in, they can pluff them oot wi' deadly
accuracy. An' these days as the Scottish made-for-
export darts find their targets on some unsuspectin'
impala or wildebeest, the jungle resounds to the cry
of 'One hundred and eighty!'

Did ye see a' the newspapers the Queen had on her
desk? Fit a bill she must ha'e fae the newsagent every
wik.

An' it's nae jist daily papers they get, Bunty. Every
nicht fan Philip comes hame for his tea, fit's the first
thing he says?

I dinna ken.

'Far's the paper?'

African clue to Bob's award snub

BAND Aid creator Bob Geldof may have been missed from the New Year Honours List because his massive fund-raising efforts were for Africa, it was hinted today.

● See local honours — Page 3.

But Band Aid executive director Kevin Jenden said: "We are in the business of saving lives, not winning awards. It is

warded "for political service" the man who advised her to soften her voice and her hairstyle — and helped sweep her to

I still think ye should've left the room afore ye took yer teeth oot.

Far's the paper?

Here ye go. An' wid ye like a Black Magic?

Thanks very much, Bunty. Black Magic, eh? Hiv ye kicked the jujube habit then?

No, no. This great big box o' Black Magic wis wir first-fittin' gift fae the Gibbs.

Wis it? I wish I'd kent, an' I wid hiv poored Willie Gibb a bigger dram. An' I wid hiv gi'en Mabel some vodka in her vodka an' orange.

Ye get a chart wi' Black Magic, Dod. Ha'e a look an' see fit een ye're wintin'. Wi' your false teeth ye canna risk gettin' a caramel.

You said a mouthful, baby. D'ye mind fan we were visitin' Alan's folk in North Berwick? An' Mrs Williamson handed roon' the Quality Street? Well, I couldna say 'no', an' I wisna tae ken there wis only caramels left.

Ye didna need tae try an' eat it. Ye could've pit it in yer pooch fan she wisna lookin'.

It's easy tae say that wi' the benefit of hindsight, Bunty. I thought I wid be able tae cope wi' it. But it was not to be.

I still think ye should've left the room afore ye took yer teeth oot.

Awa' ye go. Mrs Williamson wis very understandin' aboot it. She said she'd hid the same trouble hersel' wi' an Opal Fruit. Fit else did we get fae wir first-fitters?

Well, we got a Roland Rat bubble bath fae Norman an' Janet; we got a packet o' Markie's vol-au-vents fae Miss Fraser, the health visitor doon the road; we got a lovely towel fae Doreen Lawson. Ken? Her that's jist hid the twins. It says 'Aiberdeen Maternity

83

Hospital' on it. There must be a gift shop up there noo.

An' fit aboot the bottle o' Windolene? Fa wis 'at fae?

'At wis fae Jessie McKay. I'm wonderin' if that means she thinks we've got fool windaes.

I shouldna think so, Bunty. Though we *hiv* got fool windaes. No, no. It could mean that somebody thocht Jessie his fool windaes an' gi'ed *her* the Windolene. An' she gi'ed it tae us.

Well, if she did, I think 'at's terrible – passin' on a gift that somebody's gi'en ye.

There's a lot o' that gings on, Bunty. D'ye ken 'is? There's one half bottle o' Mateus Rosie his been in every hoose in Mastrick this New Year. An' at least half o' Kincorth an' a'.

Well, I dinna think it's richt. On principle. It really annoys me.

Oh, nae anither issue of principle gettin' ye a' steamed up, Bunty. Ye jist aboot hid a Jamaica fan ye read the New Year's Honours List an' there wis naething for Bob Geldof or Kennedy Thomson.

Well, nae much wonder. I mean, I've aye liked the Queen, but she's made an affa mess o' the Honours List this year.

But it's nae the Queen that dishes oot the gongs, Bunty. She jist his tae dae fit the Prime Minister tells her. 'At's the wye the Queen an' Denis Thatcher are good chums. Peer Denis. At least the Queen'll get a change o' Prime Minister some day.

I wonder if it'll be Heseltine. He's been tak'in' a bit o' a chunce ower the heids o' this helicopter business.

Na, na, Bunty. Win or lose, this is the start o' his challenge for the leadership. What we are seeing is Tarzan throwing his hat intae the ring. Or, in his cae, his flak jacket.

I think I wid prefer Heseltine tae Leon Brittan. I mean, I ken it's nae his fault he's got a plooky face, but I canna warm till him. Ken fit I mean?

Ach, it's a' pretty academic, Bunty. Maggie's ga'n' tae hing on for years yet. I ken 'at for a fact. Frunkie Webster got it straight fae Dick Gallacher.

Fit aboot the toon cooncil fa'in' oot wi' the Dons ower the car parkin' near Pittodrie? Cooncillor Robertson fairly got stuck in til them, did he? I mean, there must be a lot o' Dons fans in his ward. Ye'd think he'd be worried aboot nae gettin' votes.

He certainly canna be worried aboot nae gettin' European Cup tickets.

He's maybe nae interested in fitba'. Wid he be a rugby man?

Could be, Bunty. In which event he'll be keen tae be on the official visit tae Zimbabwe for the twinnin' o' Aiberdeen an' Bulawayo.

Fit ye spikkin' aboot?

It wis in the paper. Aiberdeen is ga'n' tae be twinned wi' Bulawayo in Zimbabwe.

Zimbabwe? Is 'at far Uncle Donald wis fan he wis in the air force in the war?

No, no, Bunty. Uncle Donald wis in Rhodesia.

Ah. I kent it wis een o' thae places. Anither chocolate, Dod?

No, thanks, Bunty. They're an affa funny colour, that Black Magic. Mair like grey magic.

Dod, d'ye ken fit I've jist remembered? We first-fitted Frunkie an' Dolly Webster wi' a big box o' Black Magic twa years ago. I think this is it.

But I thocht ye said we got that fae the Gibbs last wik.

Aye. 'At's richt. Sae we did.

Fit? So are you tellin' me we got it fae the Gibbs this year an' they'd got it fae the Websters last year, an' the Websters hid got it fae us the year afore?

Aye, an' that's nae a'. We got it fae the Gibbs the year afore 'at.

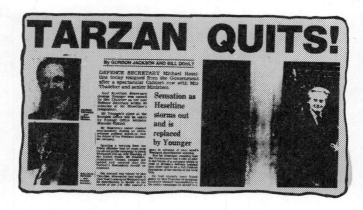

It's yer ain fault. Ye're 54 an' ye hinna made naething o' yersel'.

Far's the paper?

Jist a minute. I wint tae see if there's onything in the Stop Press aboot the Westland shareholders' meetin'.

Michty, Bunty. This is something new for you — an interest in the stock market. Or hiv ye got a holdin' in Westland that ye've never telt me aboot.

No, no. I wint tae see if Heseltine's sacrifice has been worth the caun'le.

Sacrifice? Dinna let him kid ye. Heseltine's playin' for high stakes. Mark my words, Bunty. Tarzan is aimin' for the top o' the tree. History is full o' examples o' folk that have resigned and then finished up in the top job. Anthony Eden, Harold Wilson, Eddie Mutch.

Eddie Mutch?

Aye. Eddie's chairman o' wir branch executive now. But it's jist five years ago that he resigned fae the committee on an important pint o' principle. Tommy Argo wis the chairman that year, an' he telt a' the committee members tae ging oot an' scrounge prizes for the New Year draw. Well, Eddie Mutch refused tae dae it, an' he accused Tommy o' bein' despo'ic.

Is 'at the Tommy Argo that's wife locks him oot if he's nae hame by ten o'clock?

'At's richt. I'm sure ye've met him. I brocht him back here ae nicht after he'd been locked oot an' he spent the nicht on the sofa wi' Tiddles. Well, he wis affa despo'ic as a branch chairman, but at this meetin' I'm tellin' ye aboot Eddie Mutch stood up til him an' said, 'I wint my objections tae be recorded in the minutes'.

Jist like fit Tarzan said.

Exactly, Bunty. Well, at the next meetin' there wis an even bigger row because there wis nae mention

o't in the minutes. Eddie Mutch resigned, an' Frunkie Webster of course, as branch secretary, wis comin' in for terrible stick fae a'body. Till yours truly made a statesmanlike intervention, 'cos I remembered that at the previous meetin', at the very pint that Eddie wis askin' for his objections tae be minuted, Frunkie had went oot for the chips.

For ony sake.

Yes, an astonishin' story, Bunty, I'll maybe divulge it a' fan I write my memoirs.

You'll never write your memoirs. But I'll tell ye – I bet Fergie's glad he wrote his.

'At's richt. The royalties aff a' the copies I got for my Christmas jist aboot peyed his fine last wik.

I suppose Fergie's mair concerned about nae bein' in the dug-oot.

Well, certainly fan he's up in the stand he's a lot further awa' fae far I sit, an' it'll be mair difficult for him tae hear the tactical advice I shout til him.

Oh, well, there's aye some compensation. This is maybe the change o' luck the Dons is needin'.

Dinna be chikky, now.

Well, they've got a good draw in the European Cup.

Magic, Bunty. Back tae Gothenburg.

The Dons is ga'n' back tae Gothenburg. Dinna think you're ga'n' again. Nae efter the last time. Fit a nicht o' rain. Yer thermal underwear hisna dried oot yet. An' onywye, we canna afford it.

I'M ONLY 39 AND I'M SECRETARY OF STATE FOR SCOTLAND, EVEN THOUGH I'M A FUNNY-LOOKIN' GINK.

Aw, Bunty.

It's yer ain fault. Ye're 54 an' ye hinna made naething o' yersel'. Look at this boy Rifkind. Secretary o' State for Scotland an' he's only 39.

Aye. He's a funny lookin' gink, is he? An' at's a big job he's tak'in' on.

Nae half. D'ye ken Edna Chapman in Faulds Gate? She's written him a letter already, tellin' him tae pull the finger oot an' dae something aboot the lumps o' masonry fa'n' aff Kincorth Academy.

I bet Geordie Younger's sorry tae be awa' fae challengin' issues like 'at, an' the rates, an' the teacher's pey.

I suppose it's promotion for him, though. Does it pit him above Leon Brittan? Fit is that Leon's the minister o', again?

Well, did ye see him on the TV last wik, gettin' oot o' his car an' ga'n' intae 10 Downing Street? He's got tae be Minister o' Funny Walks. Tell me this, though, Bunty. Div you agree wi' Tarzan that we should be supportin' the European connection?

Oh, aye.

Which of course includes the European Cup, in which our gallant lads are Great Britain's only representatives.

Look, I'm tellin' ye eence an' for a', Dod, ye're nae ga'n' tae Gothenburg. Ye ken foo hard up we are.

Aw, Bunty. You could sell aff yer shares in Westland.

Dinna you be chikky. Ye're nae ga'n' tae Gothenburg, an' 'at's final.

No, it's the quarter-final actually.

Never mind the patter. Ye're nae ga'n'.

Michty me. Heseltine's a lucky man.

Fit d'ye mean?

He wis complainin' aboot ha'ein' tae put up wi' this bossy wumman for a' thae years. But at least he could resign. Some o' us canna.

Four less for Zimbabwe, says Labour

CITY'S TWIN TOWN PARTY CUT IN HALF

The doctor had nae business bein' at Pittodrie if he'd the flu. I'll bet he gi'ed some o' the Dons players the smit.

Far's the paper?

Never mind the paper. Fit did the doctor say?

He said I've got flu, Bunty. Very bad flu! But nae as bad as fit he's got himsel'. Bloomin' doctors. They've aye got tae be one up on ye, hiv they? I mean, he wis at Pittodrie on Setterday. I wisna. He'd nae business bein' at Pittodrie if he'd the flu. Breathin' oot ower the pitch. I'll bet he gi'ed some o' the Dons players the smit. An 'at's the wye they lost.

Dinna spik rubbish.

Well, there's nae ither rational explanation that I can think o'.

I'll tell ye this Dod. Ye'd hiv been better at Pittodrie. It's nae good for ye, listenin' tae a Dons match on yer trannie. Especially fan ye're watchin' the rugby on the TV at the same time.

At least we won the rugby.

But fit aboot the league? It's nae lookin' good. I wis ha'ein' a look at the table in the paper . . .

There's a lang wye tae ging yet, Bunty. A lot can happen in three months.

Oh, I ken, I'll tell ye, Dod: if it's ony consolation tae ye, by my calculation the Dons is clear o' relegation. Jist aboot.

Bunty, there's some things it's sacrilege tae joke aboot.

Fa's jokin'? An' fit else did the doctor say?

Ken 'is, Bunty? I dinna think we're gettin' wir money's worth fae that bloke. He came in, I lay back waitin' for the probin' examination, the scientific diagnosis an' the recommended treatment. An' he

says: 'Aye, aye,' he says, 'ye've got flu'. It's ga'n aboot.'

Did he nae even say it wis a virus? Maist folk get viruses these days.

No, he didna. An' I says til him: 'Look Sir Alexander Flemin'' I says, 'I'm nae carin' if its ga'n' aboot. The important thing is that in the course of its peregrinations it has come tae earth here, an' I'm nae weel.' I telt him I wis absolutely wabbit. I couldna lift a hand.

Ye see, I noticed nae difference fae yer usual.

You may scoff, Bunty. But you're lookin' at a sick man.

No, I'm nae. I'm nae lookin' at ye. I jist get depressed, lookin' at ye.

I'm needin' a holiday, Bunty. Somewye in the sun. I wish I wis ga'n' on this trip tae Bulawayo.

Tools for Zimbabwe?

Bunty, that's nae wye tae refer tae an official council delegation.

I see there's only fower ga'n' noo. I'm surprised Jocky Wilson's een o' them. Is there a lot o' darts played in Zimbabwe?

It's nae *that* Jocky Wilson. Mr John Wilson is the toon clerk. He's there tae tak' notes. I mean, it wid never dae if the Lord Provost an' the heid bummer o' Bulawayo came awa' fae a meetin' wi' completely different ideas o' fit they'd been spikkin' aboot.

Well, fa ever heard o' that happenin'? They're nae feel.

It *can* happen, Bunty. At that kind of exalted level when the pressures really on. Look at Leon Brittan an' Admiral Sir Raymond Lygo. The old salt wis a' at sea at that meetin'.

Fit kind o' thing will the Lord Provost be daein' in Bulawayo?

Well, he'll be pavin' the way for important trade an' commercial links.

Like fit?

Well, he'll maybe pit in a good word for Mitchell an' Muil so that in due course they can negotiate the Victoria Falls buttery concession.

I dinna understand a' this big international commerce. A' this wheelin' an' dealin'. I mean, is it true the Japs are gain' tae open up a Nissen hut far Jack Wilson's garage used tae be on the ring road an' start sellin' United biscuits?

Well, ye've got the gist o' it, Bunty, but – well, pit it this wye: hiv ye ever thocht o' gettin' a job writin' minutes for the Department o' Trade an' Industry?

An' then there's the Channel Tunnel. Fit's that ga'n' tae cost?

I'm nae in favour o' a channel tunnel, or a channel bridge, or naething. We should never be jined tae France. It's nae natural. It's like fan we wis bairns: Hilton wis Hilton an' Widside wis Widside. Naebody wid ever hiv dreamt o' jinin' them – wi' a tunnel or onything else. Na, na. Some things is meant to be separate. Come on Bunty. Far's the paper till I see fit's on the TV. Fa's hostin' Wogan the nicht?

There's nae Wogan on a Tuesday.

No. It's comin' though. Michael Grade says he wid like tae ha'e Wogan on five nichts a wik, every wik o' the year.

Awa' ye go. That wid be mair often than Heseltine.

There ye go, Bunty. Exaggeratin' again.

THATCHER IS LEFT TO BATTLE ALONE

THE resignation of Leon Brittan leaves Mrs Thatcher alone and vulnerable in the Cabinet today — the sole survivor of the three principal figures in the Westland Helicopters crisis.

Now, with her Government plunged into the deepest crisis since the Falklands invasion, the Prime Minister becomes the central target of the opposition parties.

Mrs Thatcher is working this weekend on her speech for the emergency debate in the Commons on Monday.

She will have to convince MPs that her hands are clean over the leaking to the Press Association of a letter from the Solicitor General, Sir Patrick Mayhew, to Mr Heseltine, the then Defence Secretary, on January 6.

Mrs Back, reported by the opposition as a dishonest and hollow attempt to discredit Mr Heseltine by the own Cabinet colleagues, was authorised by Mr Brittan and led to his downfall yesterday.

'I'm surprised Leon got intae sic a mess nobblin' Tarzan, fan he had Gerry Malone for a side-kick.'

Far's the paper?

Here ye go. They're still on aboot the helicopter thing. Ken fa I'm sorry for? Leon Brittan. Peer mannie. I think he got a rough deal. Did ye see him on the TV on Friday nicht? Wi' Gerry Malone on the train tae York. I wis really sorry for him.

Oh, twa hoors on a train wi' Gerry Malone's nae that bad, Bunty. I'll tell ye, though. I'm surprised leon got intae sic a mess on a major issue like nobblin' Tarzan fan he had Gerry Malone for a side-kick. Ye'd hiv thocht Gerry wid hiv kept him richt, ken? He's a shrewd operator, Gerry.

I ken. He wis really helpful fan Auntie Cath lost her pension book.

Oh? Did he advise her aboot her legal position, an' her entitlement tae a replacement?

No. He telt her tae look ahin' the clock on the mantel-piece. He said in his experience 'at's far a lot o' pension books turned up. An' richt enough. 'At's far it wis.

There ye are, then, Bunty. Despite the support o' a bloke wi' that degree o' vision, Leon still made a mess o't last wik. But 'at's nae tae say he had tae resign. I mean, if a'body that made a mess o' things wis tae resign, there'd be naebody left tae dae ony-thing. Aye, nae jist in Parliament. Look at you last nicht. Look fit a mess ye made o' the macaroni an' cheese. It wis like rubber. Ye couldna even pit it in a Tupperware dish an' tak' it roon' tae yer mither.

92

I could so. An' I did. I took it roon' till her this efterneen.

Did ye? Oh. Well, never mind. That disna affect my argument. *We* couldna eat it. But jist cos ye'd messed it up, I didna expect ye tae resign fae yer cabinet post – well, yer kitchen cabinet post – as heid cook in this hoose. I expected ye tae cairy on, an' try an' dae a bittie better next time. Meanwhile, if you'll recall, I dealt wi' the immediate crisis by nippin' oot an' bringin' hame a chinkers.

Well, but it's different wi' the Government, Dod. If they get in a mess, they canna rely on the Chinese tae rescue them.

I ken that. My pint is that mistakes shouldna be grounds for resignation. I wis jist takin' the macaroni an' cheese as an example. A concrete example, ye micht say. I mean, mistakes in government is inevitable, Bunty. Even at local level. Look at wir ain cooncil's dilemma. Tae bide within their new guidelines, they've got tae mak' cuts. But fit div they cut? It's nae easy. Fitever they dae, somebody's nae ga'n' tae be pleased. I mean, they're thinkin' o' closin' Provost Skene's Hoose.

Fit? Far me an' Dolly Webster ha'e wir coffee on Setterday mornin's? It's a nice place. I widna close it.

Well, but it's maybe a luxury we canna afford. Sometimes we canna ha'e the icin' on the cake.

Sometimes we dinna get ony icin' on the cake. Dolly wis jist complainin' on Setterday that maist o' the icin' seemed tae hiv fa'n' aff hers. I didna ha'e a cake. I'd a Penguin.

Or maybe the cooncil will ha'e tae close some libraries. There's a lot o' folk nae happy aboot that.

OH, I'M A SHREWD OPERATOR.

Aye. I see een o' wir librarians is ga'n' awa' already. Tae a job in London.

No, no, Bunty. That's the university librarian. He's ga'n' awa' tae the British Library. Ken 'is? He'll be in charge o' Magna Carta.

Magda Carter? I never kent she wis in London in the British Library. I thocht she wis still wi' John Menzies.

Nae Magda Carter, Bunty. Magna Carta. The cornerstone of our democracy. Signed by King John. 1215.

Oh, aye. Typical. Gi'ed him time tae fit in a couple o' gin an' tonics afore his lunch.

An' the cooncil's latest idea for savin' money, Bunty, is tae cut doon the bucket collections tae once a wik.

Once a wik? Fit a lot o' rubbish. I mean, if they're short o' money, fit aboot this five million quid for a new leisure centre? I mean, foo mony scaffies could ye get for 'at? You ask ony hoosewife in Aiberdeen – wid ye raither see yer scaffie twice a week or ken there wis somewye at the beach far ye could play squash?

'At's nae really the issue, Bunty.

I'll tell ye fit's the issue. If we only get the scaffie once a wik, we'll ha'e tae cut doon on fit we pit in the bucket. You'll ha'e tae start eatin' a' yer reid cabbage an' stop leavin' the skins o' yer baked tatties.

I appreciate 'at, Bunty. But I'll tell ye anither thing. Fit aboot yer macaroni an' cheese? Will there be room for *it* in the bucket? I mean, yer mither's nae ga'n' tae last for ever. She's nae aye ga'n' tae be here tae eat stuff that you've cooked that's nae fit for human consumption.

All our institutions is under threat . . . I widna be too sure Reo Stakis hisna got his eye on Marischal College.

Far's the paper?

I've got it here. I wis some feart it widna come the nicht. I thocht it might hiv been held up by the dispute wi' that mannie Murdoch. But no, it wisna. Pretty good, gettin' it fae Wappin' tae Kincorth by quarter tae five.

Bunty, hiv ye ever thocht o' ga'n' in for the Open University? I saw a bit in the paper last wik aboot Aiberdeen folk that got Open University degrees.

I noticed 'at. But I was ga'n' tae ask ye, Dod. Fit's an open university? I mean, is Aiberdeen University open?

Oh, aye, it's open. An' as far as I ken, naebody's ever suggested closin' it. In that respect, Bunty, it must be unique in Aiberdeen. I mean, Isaac Benzie's is awa', an' there's folk spikkin' aboot closin' nearly a'thing else – Macaulay Institute, Hall Russell's, College of Education, Brig' o' Don Barracks; mark my words, Bunty, all our institutions is under threat. If we're nae careful, the university'll seen be the only thing left in Aiberdeen, an' come tae think o't, I widna be too sure that Reo Stakis hisna got his eye on Marischal College for a luxury hotel.

Gettin' back tae the Open University, did ye see there wis a dentist got a degree in philosophy?

Aye. There seems tae be a close connection atween philosophy an' the practice o' dentistry. I mean, that boy that I ging till – he's aye advocatin' philosophy. 'Will it be sair?' I says til him. 'I dinna ken,' he says, 'but if it is, we'll just ha'e tae be philosophical aboot it.' Easy for him tae be philosophical.

But ye dinna think he's got a degree in philosophy?

I dinna think he's got a degree in dentistry.

Did Frunkie Webster nae sign up for the Open University?

Och aye, Frunkie's been an Open University student . . .

But they never publish the names o' the folk that fail.

He hisna failed. I dinna think ye can fail. Ye jist keep goin'. No, no, I wis ga'n' tae say Frunkie's been an Open University student for 16 years. I mind the wik efter the Dons won the Cup in 1970 he wis still a bittie plastered on the Thursday, an' he wrote awa' an' got enrolled for a degree in history, economics, an' comparative politics. He thocht if he hid a degree, it wid improve his chances o' a poli'ical career. But in the last year o' twa the steam seemed tae hiv gone oot o't.

'At's cos Dolly pit the fit doon. It's a' comin' back tae me noo.

Dolly pit the fit doon? I thocht she wis in favour o't.

Well, she wis till Frunkie went on a wik's residential course at Stirlin' University, an' he got in tow wi' this dame fae London that wis on it an' a'. An' the funny thing is, she wis affa Richt wing.

True blue?

Well, she wis a Sloane – oh, fit d'ye ca' them? – Ranger!

Licht blue true blue?

Well, I'll tell ye, Dolly got tae ken aboot fit this dame an' Frunkie got up til in the comparative politics seminar.

I FEAR MAGGIE'S REPLACEMENT MAY BE SEEN BUT NAE HURD.

Wis Frunkie comparin' the dames politics wi' his ain an' preferrin' the dame's?

No, no Frunkie wis comparin' the dame wi' Dolly an' preferrin' the dame.

Ach, Frunkie's maybe better aff withoot a brilliant university degree. Look at Leon Brittan. A double first fae Cambridge, an' we widna ha'e him for fixtures secretary in the Bilermakers' darts club.

I see the papers are beginnin' tae say Mrs Thatcher's on the wye oot.

I'll believe it fan I see it, Bunty.

I ken. I mean, her new hoose in Dulwich isna near ready yet. She's got tae get a' her curtains an' carpets measured, an' she hisna got time iv noo. An' she couldna leave it tae Denis. He looks as if he wid be even worse than you at that kind o' thing. Mind fan we moved in here? I left you tae measure for curtains an' carpets, an' ye got them mixed up. We've the only hoose in the street that's got a livin' room carpet that opens an' shuts doon the middle.

I see they're sayin' this boy Douglas Hurd could tak' ower fae Mrs Thatcher.

Tak' ower her curtain an' carpet measurement?

No, no. Tak' ower as the heid bummer.

I dinna think so, Dod. I mean, I can believe it maybe winna be lang afore they get somebody new – in fact, it could be pretty seen – but it winna be that mannie.

I see Bunty. Ye mean her replacement will be seen but nae Hurd.

Eh?

College pulls out after friendly match row

RUGBY matches between two North-east schools have been scrapped after a controversial game in Aberdeen.

The penny stuck on its end, an' me an' the Cassie-end captain hid a punch-up aboot whether it wis heids or tails.

Far's the paper?

I dinna ken. I hinna time tae read the paper. I'm a' ahin' wi' my knittin'.

Michty Bunty, ye've been knittin' every nicht 'is wik.

Well, Michelle an' Gary's bairn's only twa months awa'. It'll be here afore onybody realises it.

I should think Michelle'll realise it Bunty. But it's Gary I'm sorry for. A'thing's comin' at eence for him is it? It'll tak' him a while tae get ower his accident.

I ken. An' him sic a good driver. I mean, there's nae much ye can dae fan the roads is skitie like they wis last Wednesday. It's a mercy he wisna hurt. I mean, fan ye're in a Cortina that collides wi' a bus –

Aye. I widna care, it wis the day Mrs Thatcher decided that Ford an' British Leyland *widna* come thegither.

Are ye lookin' forward tae bein' a granda', Dod?

Aye, I think so. I'll tell ye this, Bunty. At my age I'd raither ha'e a grandchild than a new bairn o' my ain, like 'at boy Ferguson that's ga'n' tae be Prince Andrew's faither-in-law by the look o't. He's 57, 'at

bloke, an' he's got a fower-month-aul' bairn. Tae pot wi' that, Bunty.

Fit d'ye expect fae that flash crowd. Look at Di's aul' man. He's on tae his second wife an' a'. I mean, if Andrew dis merry this Ferguson lassie, the Queen's ga'n' tae loss coont o' her in-laws.

I hiv tae admit, Bunty, I hope it's a loon that Gary an' Michelle get. Cos he's bound tae be a good fitba' player. Well, I mean, Gary wis, an' I wis. An' a bairn born in 1986'll be jist aboot ready tae tak' ower fae Willie Miller fan Willie retires.

Well, as lang as he disna play rugby. Did ye read aboot the row efter the rugby match atween the Gordon's College an' Mackie Academy? I mean, rugby's a lot coorser game than fitba' for loons tae play.

Dinna you believe it, Bunty. Fan I played for Hilton in the Primary League, there wis nae prisoners ta'en, I can tell ye. I mean, there wis ae game that I wis captain an' I wis sent aff afore the kick-aff.

I thocht Dunter Duncan wis captain o' the Hilton fitba' team.

Sae he wis. He wis magic, Dunter. The maist feared player in schools fitba'. A hard man, did ye say? Coorse, did ye say? Well, Rangers winted tae sign him fan he wis only eleven. But there wis ae game I took ower fae him as captain. It wis against Cassieend at Nelson Street. There hid been a lot o' rain throucht the nicht, an' Dunter's ma widna let him play in case he got his feet weet an' got a caul'. So I wis captain 'at day.

I'M 57 AND I'VE GOT A FOWER-MONTH AUL' BAIRN. GREAT STUFF, THIS GIN.

99

An' ye got sent aff afore the kick-aff?

Aye. Well, I telt ye there had been a lot o' rain. Well, the pitch wis 'at dubby, fan we tossed for ends the penny stuck on its end, an' me an' the Cassie-end captain hid a punch-up aboot whether it wis heids or tails, an' the ref sent the baith o's aff.

So that wis the end o' the game for the pair o' ye – afore it started?

The end o' the game, Bunty, but the beginnin' o' a lifelang friendship. The Cassie-end captain wis Frunkie Webster.

Did Dunter Duncan nae ging on tae play for Inverurie Locos?

'At's richt. Fanever he left the school. An' did I ever tell ye? There wis an aul' wifie in Kemnay, Mrs Mitchell, used tae come an' watch them every wik, an' Dunter wis her favourite player. An' did ye read aboot the aul' wifie in Yorkshire leavin' Geoff Boycott a hunner thoosand quid in her will?

Aye. But dinna tell me this Mrs Mitchell left Dunter a fortune.

Well, nae a fortune exactly. She left a' her siller tae the Cats' Home. But she left Dunter her budgie.

Oh, well, at least he got a budgie oot o't.

Well, he didna really. Cos peer aul' Mrs Mitchell bade hersel', an' eventually she dee'd at hame – well up in her 90's she wis – an' by the time the doctor got intae the hoose the cat hid eaten the budgie. So ye see, in the end o' the day the Cats' Home got a'thing.

An' Dunter never signed for Rangers?

No, no. His aul' man widna let him. He hated Rangers. Aul' man Duncan wis the kind o' rabid, fanatical, blinkered Aiberdeen supporter that ye jist dinna get nooadays, Bunty.

Dinna come it. There wis five hunder o' them at the Airport Skean Dhu on Setterday for John McMaster's testimonial dinner. Includin' twa mannies that captained Hilton an' Cassie-end Schools one weet Setterday 40 years ago. An' neen o' the twa o' them had telt their wives they were ga'n' tae an expensive do like 'at. But they were found oot, weren't they?

Well, you an' Dolly micht hiv telt us the Skean Dhu had ta'en ye on as jobbin' waitresses for Setterday nicht.

Our girl Annie's queen of pop!

POP FANS worldwide will never have to wonder 'Who's that Girl? again.

For before a TV audience around the globe, Aberdeen's first lady of pop Annie Lennox, has received the workings of the industry her followers and her biggest fans — her parents — knew so richly deserved.

I hiv tae admit, fan I bocht the Valentine, I hid the bottom o' Tiddles's basket in mind.

Far's the paper?

Bunty, I said: 'Far's the paper?'

Oh, for ony sake, Bunty, ye're nae still sulkin', are ye? Jist 'cos I didna send ye a Valentine on Friday?

I'm nae sulkin'. I'm jist nae spikkin' tae ye. Frunkie Webster sent Dolly a caird — a great big padded thing wi' a he'rt on't — and it cost him fower quid.

Ach, fower quid for a caird's a waste o' money. I'd raither spend fower quid on a present.

Ye never bocht me a present either.

No. Well, I jist feel that oor relationship is so perfect, Bunty, I widna wint tae taint it wi' shoddy commercialism o' ony form. Not for us some empty massproduced artefact.

I wisna lookin' for onything empty. A full bottle o' perfume wid hiv suited me fine. An' ye did eence gi'e me a great big padded caird. Three or fower year ago.

An' we've still got it, Bunty. It's made a very comfy bed for Tiddles in the bottom o' her basket. I hiv tae admit, Bunty, fan I bocht it I hid the bottom o' Tiddles's basket in mind.

Oh, very romantic.

But I'll tell ye anither reason I didna send ye a caird this year: I bumped intae the postie on Thursday mornin' an' he wis tellin' me he's been affa bothered wi' his back lately. It's really been playin' him up in this caul' weather, an' he wis dreadin' Valentine's Day 'cos he wid be cairyin' an extra heavy load, so I jist thocht ...

A'richt, a'richt. Very considerate o' ye. Ye think aboot the cat, ye think aboot the postie — can ye nae think aboot me for a change? I mean, fan I didna get a caird I thocht I'd maybe get a Valentine's greetin' in the paper on Friday nicht, so I read them a' an' there wis some lovely messages, Dod. I think the een I liked best wis:

> 'Ye're nae even as bonny as the round-about at Mounthooly, yet
> I'll aye be yer Romeo if you'll aye be my Juliet.'

But naething like 'at fae you. No, no.

Bunty, I think I preferred it fan ye werena spikkin' tae me. I'll tell ye, though. Fan I cam' hame on Friday nicht, I kent I wis in for it. Ye could've cut the atmosphere wi' a knife. I felt aboot as popular as Bob Hughes in Peterheid. But I thocht ye wid hiv cheered up efter the wikend sport. I mean, ye enjoyed the rugby on Setterday efterneen; an' ye enjoyed the fight on Setterday nicht. –

Well, I didna like it fan Barry got hurt.

Ah, well, of course, if ye're a boxer ye've got tae accept that ye're ga'n tae be on the receivin' end o' een or twa punches noo an' again. I mean, Barry should coont his lucky stars he disna play rugby.

I'M COONTIN' MY LUCKY STARS I DINNA PLAY RUGBY.

102

It's funny, that programme, The Merriage, that finished last wik – ken? Made by Desmond Rantzen, Esther's husband. It showed the boy ga'n tae Murrayfield.

Wid ye funcy us bein' the couple in a programme like 'at, Bunty? Of course, ye'd lose yer amateur status. Twelve hunner quid that couple got.

No, thanks. Mind you, it wid help me tae keep tabs on fit you get up til on yer sportin' wikends.

I never ging tae Murrayfield.

No, but ye wis at Arbroath on Setterday. There's nae sayin' fit ye micht hiv got up til there.

Oh, aye. Intoxicated by the glamour and the bricht lichts.

No: jist intoxicated. I mean the money ye spent on 'at trip – ye could hiv bade at home an' bocht me a wee Valentine caird.

Oh, ye're nae still on aboot 'at, Bunty. I mean, even if ye didna get a Valentine last wik there wis a lot o' good news tae mak up for 't. I mean, Cable TV's on its wye tae Kincorth.

That's the good news?

But the cooncil's ga'n' tae stop onybody fae gettin' it.

Oh. That's the good news.

An' then, of course, last wik we hid Annie Lennox winnin' the award for the best female artist on the pop scene.

Oh, aye, she did weel, did she? She seems a nice lassie tae. D'ye think I wid suit her hairstyle? Can ye seen me wi' an Annie Lennox image?

No, Bunty. I think ye should stick tae yer Tina Turner. Hiv ye finished 'at packet o' jujubes? I like tae ha'e something for half-time at Pittodrie. It's Rangers the morn.

There's been some fun ga'n' on ahin' the scenes wi' Rangers. Three directors kicked oot. But hiv they still got the same chairman?

Aye. Of course fit Rangers are needin' is a chairman that can cover up a defeat an' mak' it look like a victory.

Ye mean they should sign on that mannie Marcos fae the Philippines?

Oh brother! Poor Selina

VIEWPOINT

BILL HARRIS

FORSAKING the cosy confines of Breakfast Television for the open road can have its drawbacks, as Selina Scott discovered this week in her new series, Scott Free.

Selina in pony tail and wellies took her microphone to the cloistered walls of Pluscarden Abbey for the inside story in the everyday life of a monk.

Things appeared to be going swimmingly until she tried to sit down to dine with the previously chatty men of the cloth.

buy butter, he revealed one of the great monastic mysteries: "Because margarine is cheaper.

After McOshey was wheeled out we had a folk song interlude before the next guest, Judith Steel — wife of David. It was at this point that Jimmy got mugged by the Ettrick Shepherd, one James Hogg.

Seat

"A contemporary of Robert Burns, wasn't he?" says Jimmy. "No he was after Burns," corrected Judith. "But he knew Burns, they did meet, didn't they?" asked Jimmy moving a bit more towards the

Winston kens fit he's spikkin' aboot. He's hid a pretty spicy private life.

Far's the paper?

Here ye go. I see Wham! are splittin' up.

Fa?

Wham! Ye ken – George Michael an' Andrew Ridgley.

Oh, them. George an' Andrew. Of course, Bunty. Fit wis I thinkin' aboot? Aye, they're takin' a bit o' a chunce, George an' Andrew. They'll hiv been makin' a nae bad livin' as a double act. I mean, you'll notice there's never been ony word o' the Alexander Brothers ever splittin' up. But there's bound tae hiv been a time fan either Tom or Jack thocht he could've scaled even greater hichts o' artistic achievement on his ain. But thocht better o't. Oho!

Fit's adae?

I see Mike Yarwood's been pit aff the road.

Aye, I saw that. Peer Mike. I still think he's the best impressionist on the TV.

Well, certainly, readin' this report, it sounds as if he wis daein' a very realistic impersonation o' Dean Martin.

Aye. Or Ian St Johnstone. Ken? The fitba' chappie on ITV.

For ony sake, Bunty. Are ye sure ye're nae thinkin' o' his freend, the fitba'-lovin' actress Helen St Mirren? Get it? Oh, nivver mind. The Dons did weel on Setterday, though, eh? Especially efter the wye they were mucked aboot in their hotel.

Oh? Fit happened?

Well, there wis an electrical fault, an' the fire alarm went aff through the nicht, an' a'body hid tae bale oot. An' then in the mornin' there wis a burst pipe, an' the hotel couldna gi'e them ony denner.

Michty, Dod. Ye'd think they could afford a better hotel than that, the prices they're chargin' for the Gothenburg match.

Aye, there's been a bit o' a row aboot 'at. But nae half the row that's ga'n' on aboot Winston Churchill's Private Member's Bill. Ken? He's wintin' tae keep the dirt aff the TV.

Richt enough. There's some affa dirt on the TV. Jist rubbish. Did ye see Selina an' the monks last wik?

Aye, I wis watchin' it at the Bilermak'er's Club. But I cam' in efter it had started, an' I didna ken fit it wis. For a while I thocht we were gettin' an extra-lang Reflections.

Did ye see the bit far the monks widna let Selina ha'e her denner wi' them?

Quite richt an' a', Bunty. For 'at monks the denner table is a male preserve. 'At's far they'll tell their jokes. An' for a' we ken, it's maybe nae jist the gruel that's salty. Ken? The Darts Club Smoker's the same. Ye canna ha'e weemen there – aye, except for the str... – the entertainer.

Aye, aye. We ken the kind o' entertainment ye get at 'at smokers. Shouldna be allowed.

So you're for censorship, are ye Bunty? Cos that's fit Winston Churchill's on aboot. Fan I said he wis wintin' tae keep the dirt aff TV, I meant the real dirt. Ken? Obsceni'y. The spicy bits. Winston's got a la'ndry list o' specific activities that he wants banned fae TV.

Fit d'ye mean – a la'ndry list?

105

Well, that's fit the papers are ca'in' it.

Fit are they ca'in it that for?

Well, cos it's a list o' things that he's wintin' cleaned up. But I think he's barkin' up the wrang end o' the stick. Ye've got tae let the artist express himsel', Bunty.

Well, you've fairly changed yer tune. Fit aboot 'at nicht you telt me ye'd been aside a bunch o' art students in Ma Cameron's an' ye were disgusted wi' the wye they wis expressin' themsel's.

'At's nae fit I'm spikkin' aboot. I'm spikkin' aboot creative endeavour in the arts.

I thocht ye wis spikkin' aboot TV programmes.

Sae I wis. An' I'm tellin' ye, Bunty, ye canna shackle the creative process or curb the artistic imagination. I'm deid against censorship in ony form.

Oh, aye. So fit are the things on Winston's la'ndry list? Read it oot til's.

Well, there's – eh – or there's – oh, for ony sake. That's affa stuff tae pit in the paper. I wid ban that. I widna allow them tae print it.

I'll tell ye this, Dod. Winston kens fit he's spikkin' aboot. He's hid a pretty spicy private life himsel', ye ken. Mind? He admitted tak'in' up wi' yon Kash-ooglie wifie.

Trust you tae mind that, Bunty.

But hiv ye seen him on the TV? He hisna quite got the appearance o' his granda.

No. Ye couldna see this Winston pittin' the wind up Hitler.

Of course I think it's a shame his folk ca'd him Winston. It's an affa handicap ha'ein' tae ging through life saddled wi' the name o' a great man.

Well, 'at's fit I said – mind? in 1983 – the wik efter the Dons won the Cup Winners' Cup, and the Fergusons in Covenanters' Drive ca'd their new bairn Alec.

I ken. It wid hiv been bad enough if the bairn had been a loon.

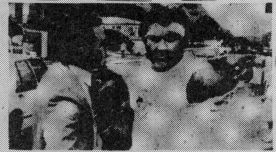

Cheeky Royal protester held

Maori Dunn Mihaka argues with a detective

VETERAN New Zealand Maori protester Dun Mihaka was arrested today after apparently trying to join a Royal convoy.

Mihaka, who has promised to bare his buttocks at the Queen in a traditional Maori insult, was arrested by police in front of journalists.

Mihaka has promised a "21-bum salute" in an anti-Royalist gesture.

Eyewitness Gladys Buckle said Mihaka had been dragged from his van after suddenly appearing from a side road

"The police were on

Weel, weel. Seventy-eight an' he still funcies his secretary.

Far's the paper?

Here ye go. But gie's it back. I'll need it tae light the fire in the mornin'. It's been the caul'est February for 40 year, an' it feels as if March is ga'n' tae be as bad.

Aye. It's time there wis an improvement, Bunty. I'm a' keyed up for half past seven the morn's nicht. I've been looking forward til't for wiks.

I thocht ye didna like Dallas.

I'm spikkin' aboot the Gothenburg match, ye feel. If we dinna get it played this wik, we're strugglin'.

Aye. An' I suppose there's a lot o' Gothenburg councillors ower here on a trade mission. It'll be hard luck on them if the match is aff.

Bunty! Ye're nae suggestin' that oor ain city faithers' sudden enthusiasm tae renew oor ties wi' Gothenburg in a fortnight's time could in some wye be connected wi' the fitba'.

Oh, no, Dod. Naebody wid ever suggest that. It's jist that Frunkie Webster wis sayin' the ither nicht that it's at times like this that he gets really choked aboot never fulfillin' his burnin' ambition tae get on tae the

107

cooncil an' cairy on the great battle for jobs an' services.

An' freebies.

Peer Frunkie. I dinna think he'll ever get on tae the cooncil. He's ower extreme. An' look fit's happenin' tae the Liverpool boys. I mean, wid you nae say Frunkie wis Militant?

No. Mair hesitant.

Well, I've heard him sayin' he wid like tae be Derek Hatton.

Aye, but that's jist 'cos he funcies wearin' a coat wi' a velvet collar.

No, no, Dod. D'ye nae mind – on Hogmanay we got on tae spikkin' aboot politics? I thocht Frunkie wis pretty far left.

He wis pretty far gone.

No, no. Politically he's extreme.

Moderately extreme. Well, extremely moderate on some things. Look at Sellafield.

Far?

Sellafield.

Oh, aye. Harry Gordon used tae sing aboot it: 'Wallfield, Nellfield, Mannofield an' –'

No, no, Bunty. Sellafield. The nuclear plant doon in England. Used tae be ca'd Windscale. But they changed its name, so that folk widna realise it wis the same place that a' the leaks were happenin' in.

So fit's Frunkie's policy aboot it? Close it doon?

No. Sell it aff tae the Yanks instead o' Land-Rover. He's aye funcied a Land-Rover, tae ging wi' the coat wi' the velvet collar that he hisna got either.

I'll tell ye fit Mrs Thatcher should sell aff if she's ga'n' tae sell aff onything.

Fit?

DIV YE FUNCY THE COAT, FRUNKIE?

New Zealand. Fit a wye tae behave tae the Queen. Barin' their bums at her.

Well, of course, in New Zealand, Bunty, that's a big insult.

Well, it widna be affa polite in Great Northern Road. Or onywye.

An' fit aboot her bein' hit wi' an egg? Terrible.

I ken. There's naething worse tae get oot o' claes than egg yalla. Look at 'at tie ye're weirin'. Three times that's been tae the dry cleaners, but that egg stain's never come oot. I dinna think it's quite sae big as it used tae be, though.

Bunty, there's nae a lot o' similarity atween the egg on the Queen's coat an' the egg on my tie. One is a symbolic gesture of anti-monarchist republican feelin', the ither –

– you let dreep on yer tie fan ye wis eatin' egg an' chips.

Well, it wis your fault for mak'in' it ower rinny.

Oh, aye. It's aye the wife's fault. You men! I'll tell ye fa I'm sorry for this wik. That wifie that's merried Lord Hailsham. I'll bet he can be gey ill-natered. She used tae be his secretary, ye ken.

Is 'at richt, Bunty? Well, weel. Seventy-eight, an' he still funcies his secretary. Bloomin' Tories. They're a' the same. It'll be Geoffrey Howe next. No, no. He's ower busy wi' foreign affairs. Get it, Bunty?

Eh?

Oh, never mind. Hey! Spikkin' aboot foreign affairs – fit aboot' 'at mutiny in Cairo last wik? Did ye see it on the TV?

Aye. Yon wis affa. Jist 'cos there wis a rumour they were ga'n tae ha'e tae dae an ither year's National Service.

I think I wid hiv mutinied if I'd heard I wis ga'n' tae ha'e tae dae an extra year's National Service.

Dinna come it. You'd a cushie time on your National Service. Ye never did ony work; ye'd nae worries; regular meals provided for ye; oot maist nichts drinkin' beer wi' yer mates. 'At's fit National Service wis for you. Come tae think o't – naething's changed, his it?

Dinna spik rubbish, Bunty. An' hurry up wi' my tea. I'm meeting Frunkie at Babbie Law's the nicht. Early. 'At's the wye I've changed intae my good jecket.

Well, ye'd better tak' it aff again. An' tak' aff yer tie an' a'. It's egg and chips the nicht.

Councillors beat beer ban bid

ABERDEEN councillors have beaten the booze-ban.

For an attempt to outlaw the traditional bottle of beer district councillors are offered with their lunch has failed.

step; there's absolutely no need for it."

Councillor Robert Anderson pointed out that the ban would affect official lunchtime functions.

He added: "I don't think we should de-

Mither's aye ga'n daft aboot some blokie or ither.

Far's the paper?

A-choo!

Fit's adae, Bunty? Ye've been sneezin' a' nicht.

It's the Devil's Ivy plant that Alan an' Lorraine gi'ed me for Mither's Day. I must be allergic til't or something. Everytime I ging near it I sneeze.

Michty me. An' that wis a topper o' a sneeze that time.

I ken. I've cricked my neck wi't.

It wis very nice o' Alan an' Lorraine tae gi'e ye that plant. £1.95 fae Markie's it cost them – did ye see the price on it? But I canna be daein' wi' this Mither's Day rubbish. I mean, fan I wis a loon, I nivver gi'ed my Ma a plant. So I nivver gave her a crick in the neck either.

You didna need a plant. She telt me hersel' – you were a pain in the neck onywye.

Now, now, Bunty. You're beginnin' tae sound like yer ain mither. Did ye gi'e her onything for Mither's Day?

There wid hiv been a richt row if I hidna. I gi'ed her something she wis really keen on gettin'.

Fit wis 'at?

A photie o' Frank Bruno.

Frank Bruno? Oh well, I suppose that mak's sense. She wid kinda identify wi him. I mean, she packs a punch, yer mither. It's certainly a lang time since I risked ha'ein' an argument wi' her. I'd raither ha'e àn argument wi' Frank Bruno.

Well, Frank's photie's up on her mantlepiece noo. Ye ken she likes changin' the photie on her mantlepiece? I thocht Prince Harry wid hiv lested a while langer. But no, Frank Bruno's up there noo.

110

I notice yer Ma never his ony photie's o' yer aul' man aboot the hoose.

No. She did ha'e een o' him in his Masonic regalia, but fan she moved intae the sma'er hoose, she hid tae throw oot a lot o' stuff, an' that photie went intae the bucket.

Aye Bunty, an incurable romantic, yer mither.

I ken. Eighty-two past, an' she's aye ga'n' daft aboot some blokie or ither. This wik it's Frank Bruno. Last wik it wis 'at NorthSound DJ Nicky Campbell. She listens til him every mornin'.

So she winna be pleased he's ga'n' awa tae London.

Well, she thinks she'll be able tae get Capital Radio on her trannie. Mind? The een we gave her for Mither's Day last year.

Awa'. We only gi'ed her it 'cos it widna work. She'll nivver get Capital Radio on yon thing. She's lucky she gets NorthSound.

Well, it seems tae be workin' fine. An' Mither's a great een for the wireless. She says she likes it better than the TV.

I ken fit she means, Bunty. At least if the likes o' Ian Paisley is on the wireless, ye dinna ha'e tae look at him. Mind you, it looks as if Paisley's ga'n' tae ha'e tae tak' a back seat. He winna wint til. He'll ha'e tae dae something tae dra' attention til himsel'.

SHE PACKS A PUNCH, YER MITHER. I KINDA IDENTIFY WI' HER.

Maybe the next time he protests against this new agreement, he'll dae it Maori-style. Ken?

Well, at least it wid be bonnier than his face, Bunty.

Actually, fit pit Mither richt aff the TV wis fan yon wifie took ower fae the real Miss Ellie on Dallas.

Did yer mither ha'e trouble suspendin' her disbelief, then?

I dinna ken aboot suspendin' naething, but she certainly felt let doon. So she wis affa pleased tae see Miss Ellie back last wik. In good form an' a'. But, oh me! fit a state Sue-Ellen wis in.

Oh, yon wis terrible, Bunty. If ever there wis a walkin' justification for Councillor Robertson's proposal tae cut oot the boozin' in the Toon Hoose, Sue-Ellen wis it last wik.

It didna come tae onything, Councillor Robertson's proposal, did it?

No, no. There wis a fair measure of unity against it, Bunty. Aye, in a' the parties. Of course, it wis the kind of major issue that transcends petty party politics. Mind you, Bunty, you an' me shouldna be nesty aboot the cooncillors. It's only 'cos Frunkie Webster's got freends in high places that we got 'at free tickets for the Cherry Orchard last wik.

Aye. It wis good, wis it? I liked Sheila Hancock.

An' fit aboot Ian McKellen? Great actor.

I wis jist sorry he didna sing, Dod. He dis a lovely My Love Is Like A Reid, Reid Rose.

'At's nae Ian McKellen. 'At's Kenneth McKellar. *He* wisna in the Cherry Orchard. I've met him, ye ken Bunty. He wis a student at Aiberdeen fan I wis a loon. I hid a paper roon', an' I used tae deliver the Sunday Post tae his digs. He wis a forestry student.

Forestry? 'At's a funny thing for a singer tae study. I mean, ye canna mak' a 'hale career oot o' singin' Trees.

For ony sake, Bunty.

Hey, Dod. If he wis a forestry student, are ye sure *he wisna in the Cherry Orchard?*

Buses off road but for most people it's business as usual

CITY WORKERS BEAT STRIKE

BY FRANK MORGAN

ABERDONIANS walked, begged a lift or hired a cab or coach to take them to work today — or just got on their bikes.

For the strike by the city's 400 bus drivers and maintenance men proved to be more of an inconvenience than a major disruption to city life.

Traffic was heavy during peak hours, but both the police and the AA said that there was no major congestion.

Spaces

"It seems drivers have taken out warnings and started cars and set out earlier to make their journey, said a police spokesman today.

Many of the major employers in the city like national and district councils, the health board and large private companies, reported much of an increase in absenteeism.

A bicycle trip to town beat the bus blues for one city gent making good progress down Union Street. Picture by Mike Stephen.

I think Patrick Moore gets his jeckets second-hand fae Cyril Smith.

Far's the paper?

Here's a bit o't. Ye can ha'e the ootside pages so's ye can read the fitba'. I hinna finished wi' the inside. There's this bonny lassie on page three.

Page three, Bunty? A bonny lassie? See's a look. This is a new departure for the Evenin' Express. Full marks tae them, though – bringin' in page three girls the wik efter the Hoose o' Commons voted tae ban them. Jist the kind o' independent stance we're entitled tae expect fae a crusadin' local paper.

Dinna be feel. I'm nae spikkin' aboot a page three girl like ye get in the Sun. There wid be some row if the Evenin' Express started that.

Aye' 'cos the reports o' the cooncil meetin's are usually on page three, an' if they were cut oot folk jist widna stand for it. So fit *are* ye spikkin' aboot, Bunty.

She's a bride. She's really bonny. She's like oor Lorraine.

Let's see. Awa'! That lassie's nae like Lorraine.

She is so. Look. She's married a lad wi' a beard. Jist like Lorraine.

No, Bunty. That lad wi' the beard's nae like Lorraine either. Sorry, Bunty. Jist a little wi'icism.

At least Lorraine an' Alan'll be feelin' a bit mair settled noo the teachers' strike's ower. It hisna been a happy time.

No. Did I tell ye me an' Frunkie Webster bumped intae them in Union Street on Setterday? Of course they ken Frunkie's hid years o' experience as a trade

113

union negotiator, an' they telt him they were a bit worried – they werena sure if the settlement wis good enough.

An' fit did Frunkie say?

He said *he* wisna sure if it wis good enough either.

Oh well, Dod, that wid hiv reassured them. Gettin' that kind o' expert advice. I'm a bittie lost wi' this teachers' business, though. I mean, they're gettin' an increase, but naebody seems tae ken far the money's comin' fae tae pey it.

Aye, it's nae easy tae understand, Bunty. It's a bit like 'at TV programme last wik aboot Giotto. Did ye see it? I couldna understand fit wis happenin' at a'.

Fa wis in it?

Burke an' Moore.

The body-snatchers?

No, no. That wis Burke an' Hare. I'm spikkin' aboot James Burke an' Patrick Moore. There wis this programme last wik aboot Giotto the spacecraft tak'in' photies o' Halley's Comet. I mean, ye'd nae idea fit wis happenin', but fitever it wis, that pair o' eejits wis gettin' really worked up aboot it.

Oh, them. Aye, I sa' them. I dinna like Burke.

No. Weel-named, if ye ask me, Bunty.

But I like Patrick. He could dae wi' somebody tae look efter him, though. Yon's affa suits he wears. I think he gets his jeckets second-hand fae Cyril Smith.

Och, he's a bit o' a heider, Patrick. But there's nae herm in him. An' I'll tell ye, Bunty, it is pretty miraculous the wye they can tak' photies o' that comet millions o' miles awa' through a thick cloud

YOU'RE WEEL NAMED, IF YOU ASK ME.

o' dust. I mean it's nae like the holiday snaps I tak' wi' the camera I gi'ed ye for yer birthday.

No. They jist look *as if they'd been ta'en fae millions o' miles awa' through a thick cloud o' dust. Onywye, miraculous or no, I canna get het up ower that kind o' thing. A' that outer space stuff's a big turn-aff as far as I'm concerned.*

Oh, yes, Bunty. An' fit world-shatterin' issues *div* get ye het up?

Plenty. I'm pretty het up aboot the story in the paper the nicht aboot Bredero maybe wintin' tae buy Norco Hoose.

Are ye scared it could be the start o' a trend? And some o' Aiberdeen's ither architectural gems'll be selt aff?

No. Fit I'm wonderin' is – if Norco Hoose is selt, dis a'body that his a co-opie number get a share o' the proceeds? I mean, fa owns the co-opie?

I dinna ken. It's maybe like the TSB. Apparently naebody owns *it*. But I could certainly dae wi' a bit o' a windfall fae somewye, Bunty. I'm nae sure it wis a good idea fower o's sharin' a taxi tae wir work on Friday fan the buses wis aff.

Fa wis the fower?

Eddie Mutch, Matt Sinclair, Charlie Pettrie an' mysel'.

Nae Frunkie.

No. Jist as we were gettin' intae the taxi, Frunkie says: 'No, no, boys. Tak'in' a taxi's strike-breakin'. We should be preservin' solidarity wi' the bus drivers. I'm ga'n' tae walk.' An' he did. A commendable gesture, Bunty.

Oh, very commendable. But did it mak' ony difference?

I'll say it made a difference. He wis an hoor an' a half late for his work.

The perfect Royal bride

SEALED WITH A KISS!

'At sounds feel, 'at: a lassie bein' ca'd Andrew.

Far's the paper?

I'll gi'e ye it in a minute. Then I'm rushin' oot. Yer macaroni's in the oven.

My macaroni's in the oven? Far are you rushin' oot til?

I'm ga'n' ower tae Gary an' Michelle's tae grill Gary's steak. Michelle's been telt tae rest up. She's intae her last month, an' she's got a touch o' high blood pressure.

Fit about my blood pressure? Ha'ein' tae tak' my ain macaroni oot o' the oven 'cos you're awa' galli-vantin' grillin' steaks for folk.

For ony sake, Dod. At a time like this a lassie needs somebody, an' Michelle hisna got a mither o' her ain.

She his sut.

Well, but her mither's nae here.

No. She's daein' bed an' breakfasts in Torremolinos. She ran awa' wi' yon Spanish tool-pusher. Jist like Sarah Ferguson's mither went awa' wi' the Argentinian polo player. But I'll bet fan Fergie's expectin', the Queen winna say tae Philip, 'Yer macaroni's in the oven, I'm awa' tae grill a steak for Andrew.'

I'll tell ye fit I canna understand aboot this Fergie business, Dod. Efter they're merried, she's ga'n' tae be ca'd Princess Andrew.

'At's richt.

'At sounds feel, 'at: a lassie bein' ca'd Andrew.

Nae feeler than a lassie bein' ca'd Fergie. I mean, she disna ken onything aboot fitba'.

I hid tae laugh, though, Dod. The day the Dons wis knocked oot o' the European Cup the headline in the paper wis 'Fergie's Happy Day'. Did you get a laugh at that?

Oh, aye. Fit a laugh. I really laughed a lot that day. But no, no; seriously, Bunty, the pint is if a lassie merries a Prince o' the royal blood she his tae tak' his name. So Fergie's Princess Andrew, an' fan Edward gets merried his wife'll be Princess Edward.

Oh, aye. Well, fit wye dis it nae happen the ither wye roon'?

Fit d'ye mean?

Well, if a blokie merries a Princess of the royal blood, fit wye dis he nae ha'e tae tak' her name? Fit wye is Mark Phillips nae ca'd Prince Anne, or Tony Snowdon Prince Margaret?

Good point, Bunty. I think you should write in tae Postbag aboot it.

It said in the paper that Fergie's descended fae Charles II.

'At's richt. Fae Charles and *een* o' his mistresses, it said. He wis an affa man, Charles.

Oh, I wis readin' aboot him in my Woman's Realm.

FIT WYE AM I NAE CA'D PRINCE ANNE?

I got the impression he wis a fine enough mannie. It said he wis a kind o' father figure.

Bunty, he wisna a father *figure.* **For at least half o' his subjects he actually** *wis* **their faither.**

But it said he wis a very popular king.

Well, onybody wid hiv been popular comin' efter Cromwell. It'll be same for faever comes efter Mrs Thatcher.

I wonder fa that'll be. Kinnock, d'ye think? Or Owen? Or Steel?

No. They'll a' be ower aul' by the time Maggie packs it in.

Div you understand French politics, Dod?

Fit mak's ye ask that?

Well, they've got this boy Meaty Ron for the president, but they were ha'ein' an election last wik like fit we ha'e. I mean, they seem tae ha'e a president and *a prime minister. 'Ken? Like ha'ein' Reagan* and *Thatcher.*

For ony sake, Bunty. I widna wish that on onybody. Nae even the French. No, Bunty, I think the good old British constitution tak's some beatin'. I mean, it may result in anomalies like lassies bein' ca'd Andrew, but it ensures that even the maist insignificant citizen can play his part in the democratic process. Which reminds me, Frunkie Webster's comin' here the nicht tae discuss stra'egy for the May elections.

Well dinna let him drop his ash on the carpet.

It's a' richt, Bunty. Frunkie gave up smokin' last wik.

Efter the Budget? Efter the 11p on a packet o' fags?

No. Efter the sport programme on Grampian on Wednesday nicht. He swore he'd never smoke anither fag. Ye see, he'd made sure he didna ken the score in the Gothenburg match so's he could pretend he wis watchin' it live –

The eejit.

Well, of course, the programme started, an' we hid boxin' an' cricket an' ither fitba' an' the Andrex commercial, an' Frunkie wis gettin' mair an' mair nervous, smokin' like a lum –

But you said it wis 'at programme that made him gi'e up smokin'. Fit happened?

Well, jist afore twelve o'clock he wid ha'e anither fag, an' in the time he took tae licht it up, he missed a' the coverage we got o' the Dons' match.

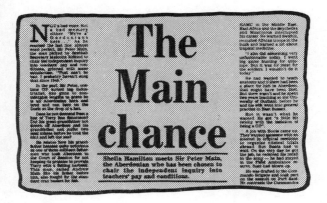

'I'll bet there's squads o' little wifies a' ower Japan rinnin up millions o' Andy 'n' Fergie T-shirts.'

Far's the paper?

Jist a minute. I wint tae see if there's a further medical bulletin on Prince Charles's finger. Bloomin' shame.

Weel, Bunty, if he will try an' chap in a tree wi' a hemmer instead o' usin' a shuffle like a'body else.

I hope he'll be a' richt for Andrew and Sarah's weddin'.

Oh, surely, Bunty. It's nearly fower months awa'.

Did ye see the Queen's nae ga'n' tae let onybody mak' souvenir T-shirts? 'Cos 'at wid be ower undignified for a royal weddin'.

Nae disrespect tae Her Majesty, but I think 'at's a feel decision, Bunty. If there's nae hame-made T-shirts allowed, they'll jist come in fae abroad. I'll bet there's squads o' little wifies a' ower Japan rinnin' up millions o' Andy 'n' Fergie T-shirts already.

Div ye think so? Japanese T-shirts?

Japanese T-shirts. Indian or China tea-shirts. Every kind o' oriental T-shirts ye can think o'. No, no, Bunty, it's a mistake tae leave the door open for a' that foreigners. I'm quite sure the Bri'ish rag trade could come up wi' a dignified T-shirt. I mean, look at 'at jump-suit you're wearin' iv noo.

Fit, this? But I'm brakin' it in for Michelle. She wis ga'n' tae wear it in the last few wiks o' her pregnancy, but it's still ower big for her.

Never mind that. The pint is, it's dignified. An' British made. Folk should be prepared tae pit their trust in British industry. Look at ICI – ga'n' fae strength tae strength. An' noo that they're ga'n' tae ha'e an Aiberdeen boy for chairman. . . .

An Aiberdeen boy? Chairman o' ICI?

Aye. Did ye nae read aboot it? Denys Henderson. I used tae ken 'im, Bunty.

Awa' ye go.

I'm tellin' ye. It must hiv been 30 years ago I played cricket against him at the Stewart Park. An' the next wik, losh be here, I wis on a Number 17 bus an' he wis the conductor.

He's deen weel, then, his he? Bus conductor tae chairman o' ICI.

No, no, Bunty. 'At wis his holiday job. He wis a student at the time. An' I can mind – Frunkie Webster wis wi' me, an' him an' Denys got involved in an anima'ed poli'ical discussion.

Dinna tell me he's the een that inspired Frunkie alang the road tae socialism.

No, no, Bunty. They fun' oot at an early age – half-wye alang Berryden Road, it wis – that their poli'ical philosophies didna exactly coincide. But they very quickly developed a healthy respect for een anither. In fact Denys didna tak' Frunkie's fare. Mind you, he'd short-changed me, so he wis still able tae declare himsel' a dividend fan he got aff the bus.

Weel, it sounds as if ICI's in good hands.

Aye, they canna ging wrang wi' an Aiberdonian in charge. Jist like Boots.

Eh?

120

The last chairman o' Boots wis anither Aiberdonian. Fit's his name again? Sir Peter Main. He's jist been pit in charge o' the inquiry intae teachers' pey. He wis the boss o' Boots, 'at bloke.

Well, he should hiv hid a look at the lay-oot o' his shop. Fit a crush there wis the Setterday afore Christmas.

No, no. Bunty. He wisna the boss o' the Union Street Boots. He wis the boss o' Boots for the 'hale country.

An' he's an Aiberdonian?

He's an Aiberdonian. At board meetin's he wis the only een that referred tae the firm as 'Beets'.

I think the Labour Party could be daein' wi' an Aiberdonian in charge. Look at that executive meetin' tae kick oot the Militants. Folk walkin' oot, so there's nae a quorum – fit a fiasco. It wis as bad as 'at extradition disaster in Dublin.

Well, but procedural matters can be tricky, Bunty. Frunkie Webster wis left withoot a quorum fan some o' the boys walked oot o' a branch executive meetin' last Wednesday.

I kent some o' your branch wis pretty far left, but I didna think they were extreme.

Extremely keen on fitba', Bunty. Frunkie had fixed the meetin' for the nicht o' the Scotland-Rumania match, an' maist o' the committee skived oot tae listen' til't.

Scotland did weel, did they? But sae did England – beatin' Russia in Moscow. I watched that on the TV. I wis sorry for 'at Russian chappie that missed the penalty.

D'ye ken far he is noo, Bunty? Second salt mine on the left past Siberia.

Did ye see there's some word o' the Argentinians pittin' General Galtieri in jile for 12 years.

Serve him richt, Bunty. Mind you, he'll ha'e it easier than convicts in British jiles.

Fit wye?

Well, he's in nae danger o' gettin' a visit fae Lord Longford.

Implications for future are serious, warns expert

WARNING ON JOBS AS OIL PRICES DROP

Supply ships hit by oil price cut

By NEIL GIBSON

NORTH SEA oil prices today plunged to a record low.

In New York, the price of a June delivery of North Sea crude dropped to under 10 dollars a barrel.

A bucket of whitewash and a few geraniums in pots wid mak' a world o' a difference.

Far's the paper?

Here ye go. I see the price o' ile's ga'n' up again. It wis doon tae under 10 dollars a barrel last wik.

Aye. We missed wir chunce there, Bunty. We should've bocht a puckly barrels fan they were ga'n' cheap.

Awa! Far wid we keep them? An' it's nae as if we're needin' ile. Nae barrels o't onywye. I mean, I ken I've been on at ye for wiks tae ile the front gate, but a wee suppie ile's a' it's needin'. Nae a barrel.

I wis thinkin' o't as an investment, Bunty. Buy it fan it's cheap, an' sell it fan it's dearer again. That's the wye tae dae't, Bunty. Money mak's money. Honest toil's nae the thing tae mak' ye rich. Frunkie Webster's aye sayin' 'at.

Is 'at the wye he hisna deen only honest toil for years?

Now, Bunty, there's nae need for that. But gettin' back tae the ile, ye're richt enough, it wid present storage problems.

'Course it wid. I mean, we couldna keep it in the sink.

No, The sink's aye full o' dirty dishes.

It is not. Fit a nerve ye've got.

Well, it wis on Friday. There wis a 'hale pile o' dirty dishes left in the sink fan we went oot tae the hospital tae visit Michelle.

Well, but we were in an affa rush. We werena tae ken it wis a false alarm.

I hate bein' in a rush. I wis in sic a hurry I broke the latch on the back door. Did ye ken that?

122

No, An' hiv ye mended it?

Nae yet, Bunty.

Fit? So fan we wis oot on Friday, a burglar could've walked straight intae the hoose?

I suppose so. Aye.

An' he wid hiv seen a sink full o' dirty dishes. Fit an affront! Well, you'll jist get 'at latch mended the nicht. And ye'll ile the gate. An' fit aboot gettin' started on yer p'intin' in the bathroom. Ye've been pittin' 'at aff for months.

No, I think I'll phone that cooncillor lassie, Jill Wisely, ken? An' see if she's tak'in' in ony homers.

Fit ye spikkin' aboot?

Look, it's here in the paper, Bunty. Listen tae this: 'Ferryhill councillor Jill Wisely has threatened to don a biler suit. . . .'

I dinna think they'll let her be a member o' the Bilermakers' Club, if that's fit she's thinkin'.

No, no, Bunty. Listen. She's ga'n' tae 'don a biler suit hersel' an' wield a paint brush to make the toilets in her ward more attractive'.

But dis 'at mean the toilets in folks' hooses?

No, no. It's the public toilet at the junction o' Great Southern Road an' Holburn Street which, it says here, 'is in a prime spot for the passing motorist'. Very delicately pit, that, Bunty. An' then she says, 'A bucket of whitewash and a few geraniums in pots wid mak' a world o' a difference'.

A BUCKET O' WHITEWASH AND A FEW GERANIUMS WID MAK' A WORLD O' DIFFERENCE.

A few geraniums in the pots? That wid be different.
Mind you, I think they wid grow like onything.

Nae the pots, Bunty. Jist pots. Flooer pots.

Oh. Oh, that wid be nice.

Is this the same story? 'Many tributes to Pears'. Oh, no. It's aboot 'at singer boy, Peter Pears, that dee'd last wik.

Fa wis he again?

Ye mind – 'In a shady nook, by the babbling brook'.

Oh, aye. An' Jimmy Cagney's awa' as weel. I wis sorry tae see 'at. He wis in some rare picters.

Aye Bunty. Ye dinna see picters like 'at nooadays.

I dinna see picters at a' nooadays. Ye still hinna telt me fit happened on Setterday. You promised me that if the Dons won the semi-final you wid come straight hame fae Dundee an' tak' me tae the picters. Out of Africa.

Aye. Well, instead o' Oot of Africa, ye were oot o' luck, Bunty. My plans wis frustrated by unforeseen circumstances, viz, I couldna foresee fit a certain stupid horse wis ga'n' tae dae in the Grand National.

Fit horse wis 'at?

Well, on Friday nicht comin' hame on the bus I was readin' the list o' rinners in the Grand National, an' I noticed a horse ca'd Door Latch. An' of course fan we got hame, there wis the door latch – broken, nae eese. An' I thocht, 'It's an omen.' An' on Setterday I pit my last fiver on 'at horse.

Aye, aye. but it hidna been an omen.

Oh, it hid. It hid been spot on. Door Latch the horse wis nae eese either – it fell at the first fence.

Souness takes over and says —

DAYS OF CATHOLIC BAN ARE FINISHED

I aye thocht Graeme Souness wis a sensible bloke. But he's ga'n' tae Rangers.

Far's the paper?

Here ye go. Ye'll be wintin' tae read aboot the Dons' team for the match the morn. Or hiv ye gi'en up the league efter Setterday?

Never!

Nae until it's mathematically impossible for the Dons tae win it?

Nae even then, Bunty. Surprisin' things can happen in fitba'. Look at Graeme Souness. I aye thocht he wis a sensible bloke. But he's ga'n' tae Rangers. Look at the SFA. Pittin' on the Glesca Cup Final on the ninth o' May — a local tribal skirmish o' nae significance the nicht afore the Scottish Cup Final.

I ken. I think it's shockin' daein' 'at. The folk in Glesca are jist jealous.

Aye. It is shockin'. Mind you, last wik wis a wik for shockin' things, Bunty. There wis 'at boy Chubby Broon at the Capitol.

Oh, aye. I believe the language wis terrible. Some o' the ladies fae the boolin' club went in tae see him. They thocht aboot walkin' oot fower or five times. But they decided tae wait an' see if he got ony cleaner. But he didna.

No. If onything, he got worse, as he warmed tae his theme.

Fit wye div you ken? 'At's nae far you wis on Thursday nicht, wis it?

No, no. Kenny Guyan telt me. He traivels a lot tae Edinburgh, an' he saw Chubby Broon fan he wis on doon there. He said the language wis indescribale.

An' then he described it. Michty me, yon wis affa. Weel, the nicht Kenny saw the show in Edinburgh, Eddie Turnbull walked oot.

An' fit else wis shockin' last wik?

Well, the cooncil decided tae cut doon 11 lovely aul' beech trees in Springfield Road.

Oh, aye. Aside the Reo Stakis hotel.

The Stakis Tree-stumps Hotel, as it will be known from now on, Bunty.

An' of course we learned that the cooncil spent a hunner an' sixty thoosand quid last year on enter-tainin' oot o' the Common Good Fund.

Ach weel. It's easy tae be critical, Bunty. I mean, a hunner an' sixty thoosand may seem like a lot o' money....

An' ye ken the wye it seems like a lot o' money? Because it is a lot o' money.

Now, Bunty. Ye've got tae keep this in perspective. The cooncil are the city's official hosts, an' enter-tainin' important visitors – well, 'at's public rela-tions. It's a function that ony cooncil his.

Aye. The trouble is, oor cooncil his a function nearly every nicht.

Now, now, Bunty, fair play. The cooncillors are nae in this game for themsel's. They just wint tae dae a good job for the community they bide in. They're like Clint Eastwood.

IT'S FAN THE PRESIDENT THINKS HE'S STILL A FILM STAR THAT I GET WORRIED.

I've never seen ony o' oor district cooncillors that look like Clint Eastwood. Some o' the regional cooncil, now. John Sorrie, Harry Sim – they've got a look o' Clint Eastwood aboot them. Fit's the name o' the toon in America that Clint's ga'n' tae be the mayor o', again?

Carmel.

'At's right. I suppose it wid be a fairly exclusive place.

Oh, aye. The folk in Carmel wid be a pretty toffee-nosed bunch, Bunty. It mak's ye think, though. I mean, funcy Clint Eastwood. . . .

Oh, aye. Nae half.

No, No, Bunty. Control yersel'. Funcy Clint East-wood ga'n' in for politics. Fa'll be next, I wonder. Sylvester Stallone for senator? Walter Matthau for president?

Weel Dod, I dinna mind American film stars thinkin' aboot being president. It's fan the president thinks he's still a film star that I get worried. I mean he's nae still making' pictures. Fit he's daein' noo is for realsie.

Quite right, Bunty. An' that bloke Gaddafi his pro-bably got a nuclear warheid.

Exactly. An' the thocht o' that ba-heid ha'ein' a warheid. . . .

I'll tell ye, though, Bunty. Clint Eastwood gettin' elected his gi'en Frunkie Webster an idea. Ye ken he's aye been disappinted fan he's tried tae get on tae the cooncil? Well, he's got it intae his heid that if he became a showbiz personality, folk micht vote for him. So he's pulled a few strings an' got himsel' intae een o' the shows they're ga'n' tae ha'e for the reopenin' o' the Music Hall.

Stars o' Aiberdeen, wi Robbie Shepherd?

Stars up in the Sky, wi' Patrick Moore.

But I thocht Frunkie hid lost hert an' gi'en up hope o' a poli'ical future.

Well, but the burnin' ambition that he's aye hid tae be a cooncillor an' lead the struggle for jobs an' services his been kittled up again. Efter last wik.

Oh, Wis he inspired by the Fulham by-election result?

No. He wis inspired by the thocht o' a' the rare denners he wid get aff the Common Good Fund.

We've got wir name in the paper. An' nae for naething criminal, either.

Far's the paper?

Here ye go. but tak' care o't.

Fit wye?

'Cos the birth announcement's in it. I'm ga'n' tae cut it oot for wir scrap book.

DONALD

To Gary Donald and Michelle Duguid on 21st April, 1986, a daughter, Tracy Regina, at Aberdeen Maternity Hospital. Both well. Sincere thanks to all medical staff. First grand-child for Dod and Bunty Donald.

Fit dis it say? I hope it's nae jokey, Bunty. I canna be daein' wi' jokey birth announcements. Ye ken the kind o' thing: 'Fiona is on Cloud Nine and Sandy is in the boozer following the safe arrival of Tristram Dominic, a brother for Gladys.'

No. It's very nice. It says, 'To Gary ...

I can read it. I can read it. 'To Gary Donald and Michelle Duguid. Is 'at the wye ye spell Jookit? I never kent 'at. 'On 21st April, 1986, a daughter, Tracy Regina.' I still think 'at's an affa name, Bunty. Fan did they decide on 'at?

It wis decided wiks ago, Dod. They couldna agree atween themsel's, so they let me choose, an' I said, 'Ca' it efter my favourite film star — Spencer if it's a loon, Tracy if it's a quiney'.

Well, Tracy's nae sae bad, but Regina! For ony sake.

Well, but 'at's 'cos she wis born on the Queen's birthday.

Fair enough, but fit wye nae jist ca' her Elizabeth?

128

No, no. Gary's last girlfriend wis ca'd Elizabeth. An' Michelle canna stick her. Mind? Elizabeth Ironside her name wis. I wonder if she's related tae that regional cooncillor boy that's the all-in wrestler. No, she's a completely different build fae him.

'At's richt. She's twice his size.

So 'at's the wye it's Regina, Dod. Apparently it's the Queen's middle name. ER stands for Elizabeth Regina.

I see, Bunty. An' Jookit's spelt Duguid. Well, we've learned a lot fae this bairn already.

Read the last bit o' the announcement, Dod.

'First grandchild for Dod and. . . .' Hey! We've got wir name in the paper. An' nae for naething criminal, either. Some o' the boys is ga'n' tae be real jealous aboot this, Bunty. I'll tell ye, though. It dis mean oor name's associated wi' a bairn born oot o' wedlock. I'm nae affa happy aboot that. I wis aye hopin' Gary an' Michelle wid get married afore the bairn wis born. Even last month I thocht they micht. . . .

No. Michelle jist refused.

Dis she ha'e a fundamental objection tae merriage as an institution?

No. She didna wint tae look big in her weddin' photies.

Oh. So I'd got it a' wrang. I thocht her an' Gary wis against merriage on principle. Though I couldna

WELCOME HAME! WE WERE JIST ABOOT TAE HA'E A WHIP ROON' AT THE BILERMAKERS.

understand fit wye Gary could be against merriage. Ken? Bein' brocht up in oor hoose, Bunty, an' bein' able tae witness at close quarters fit a blissful existence the married state can be.

Awa' ye feel.

No, no. Call me sentimental, Bunty. . . .

Ye're slightly mental, Dod.

Watch it. No, no. I wis jist thinkin' last wik – afore 'at Mrs Guinness wis released in Dublin – fit an agonisin' dilemma I wid ha'e if you wis ever kidnapped an' I wis asked for twa million quid o' a ransom.

Fit wid ye dae?

Well, I'd ha'e a whip roon' at the Bilermakers'. . . .

A fat lot o' good that wid be.

Ye'd be surprised, Bunty. Fan Eddie Mutch wis pit aff the road we'd a whip roon' an' peyed half his fine. An' fan Charlie Petrie's wife went ower the score a bittie wi' her hire purchase commitments. . . .

Weel, I hope you didna chip in naething for Peggy Petrie. 'Live now, pay never' we used tae ca' her at the boolin' club.

Aye. Peggy wis fairly the Gwyneth Dunwoody o' Auchinyell. Did ye see she's got a twa thoosand quid bill tae pey at the Hoose o' Commons restaurant?

Some lunch that must hiv been, Dod.

Aye. An' ye see, Gwyneth wid be een o' that very independent feminists – an' fair enough – but if I'd been her, I wid hiv let the man pey that day. I mean, I respect the feminist movement, Bunty, but there's nae doot there's some things it's nae richt for weemin' tae dae, an' there's ither things it is. Like mitherhood. Fan we went tae see Michelle last nicht, she wis jist lookin' lovely.

I ken. But fan I looked at wee Tracy, I jist thocht, 'Peer craitur, fit kind o' world are ye comin' in til?'

Aye. Ye're richt, Bunty. Fit a wik for her tae be born.

The wik Reagan finally lost the heid?

No.

The wik Maggie finally lost the place?

No. The wik the Dons finally lost the league.

Never mind. I'll console ye. Early tae bed the nicht, Dod?

A' richt, Bunty.

Awa' ye go, then. I'll be through in five minutes, Granda.

End of an era as shelter goes

Rambo's chickened oot o' the Cannes Film Festival.

Far's the paper?

Here ye go. There's naething much in it the nicht.

Oh, I dinna ken, Bunty. Here's a story aboot a' the Yanks that are feart tae come tae Europe this summer. Michty! Rambo's een o' them. He's chickened oot o' the Cannes Film Festival.

Rambo? Ye mean Sylvester Stallone? I thocht he could beat onybody. Fit is't he ca's himsel'. Sylvester the victor.

Mair like Victor Sylvester, if ye ask me, Bunty. I widna care, I heard a boy at the STUC at the Music Hall last wik shoutin' the odds aboot Reagan behavin' like Rambo. An' it turns oot Rambo winna even come tae Europe tae ging tae the picters.

Ye never telt me if Neil Kinnock wis good at the STUC.

Oh, very good, Bunty. A real clarion call tae the faithful.

Did Frunkie Webster enjoy it? He telt me he wis lookin' forward til't. He thinks Neil's an inspirin' leader. 'I'd follow that bloke onywye,' he said tae me. So did he like Neil's speech?

He missed it. Well, it wis the same day as the Scotland-England match at Wembley, an' Frunkie had got the chunce o' a seat on a minibus – 15 hoors each wye, stoppin' at Newcastle. I'm gled I wisna there, Bunty. It must be affa bein' in London efter we lose tae England. I mean it's hard enough bein' ceevil tae English folk at the best o' times. They're that bloomin' superior – even fan they lose. I dinna ken fit wye Frunkie controlled himsel' last wik. I suppose he did control himsel'.

He must hiv. The bobbies were sayin' there wisna ony violence at a' at the match.

They couldn' hiv been watchin' 'at English centre-half. Hey! I thocht ye said there wis naething much in the paper the nicht, Bunty. Look at this: the Beach Shelter's been knocked doon.

131

It hisna, his it? 'At's terrible. There's some affa drivers ga'n' aboot.

No, no. The cooncil's knocked it doon. Cost them fourteen thoosand quid.

Michty! Fit did they knock it doon for?

Well, if they hidna knocked it doon it wid hiv fa'n' doon.

At least it wid hiv fa'n' doon for naething. Ken 'is, Dod? I've aye had a soft spot for 'at shelter. Cos 'at's far we started wir coortin'. Mind? You had picked me up at the Beach Ballroom.

Well, somebody had tae pick ye up. Lyin' in the middle o' the fleer – ye were gettin' in the road o' the dancers.

I ken. Yon wis affa. I mean. I'd jist gone ower my unkle that I hid sprained playin' badminton, but folk thocht you picked me up because I·wis drunk.

Whereas I picked ye up because *I* wis drunk. I must have been.

Na, na, Dod. It wisna like 'at at a'. Ye wis very nice an' considerate.

Awa' ye go.

132

No, no. Ye wis the perfect gentleman. I ken ye're embarrassed now at the very thocht o' bein' a gentleman, but that nicht ye wis lovely.

I must admit ye were lookin' real bonny yersel', Bunty.

An' that wis the beginnin' o' een o' the world's great romances. . . .

Well, een o' Hilton's great romances.

I mean, fa said the Duke an' Duchess o' Windsor wis the romance o' the century?

Oor story wis very like theirs, Bunty.

Eh? Fit wye?

Well, I never telt ye this afore, but at 'at time I wis ga'n' steady wi' Hazel Paterson.

I ken that. She's never spoken tae me since. She never merried, ye ken.

Well, fit d'ye expect? It's nae surprisin'. Efter me, naebody else wid hiv measured up. It must hiv been like gettin' the chuck fae Robert Redford. Onywye, the pint is, her aul' man hid his ain dry-cleanin' business. He didna ha'e nae loons o' his ain, an' he telt me that if I merried Hazel, he wid tak' me intae the business. An' then it wid be mine.

Oh, I see fit ye mean aboot us an' the Windsors. You wid hiv been in line tae inherit a great business empire. . . .

Well, a wee dry-cleanin' placie in Chapel Street.

. . . but ye gave a' that up tae merry the woman you loved. An' it a' began that fateful nicht fan ye fell for me at the Beach Ballroom.

Well, fell *ower* ye at the Beach Ballroom, Bunty – fan I wis ga'n' backwards in the St Bernard's Waltz.

Students' plea starts Russian rescue mission

BRITONS IN DASH FROM DISASTER

□ POLAND today re-
stricted the sale of milk
and sale children in
north eastern regions
would be treated for
radioactive iodine con-
tamination from
fallout.

Increased levels of

Firm launches airlift for tourists

THIRTY British students and
their teacher were today being
evacuated from the Soviet city
of Minsk, close to the site of the
world's worst nuclear disaster.

They were being taken to Moscow before
flying back to Britain tomorrow.

We've got less information aboot wir candidate than the Russians hiv let oot aboot their nuclear reactor disaster.

Far's the paper?

Ye can read it efter we come back.

Back fae far?

Fae the election meetin'. Wir candidate's spikkin' at the school the nicht.

Ach, tae pot wi' that, Bunty. A waste o' time. I winna be able tae vote on Thursday onywye. I've got a darts match.

Dod! Ye should be ashamed o' yersel'! 'At's apathy, 'at.

Richt enough, Bunty. 'All that is needed for evil to triumph is that good men do nothing.' Fa said that again?

I dinna ken. But faever he wis, I'll be surprised if he wis thinkin' o' you nae votin' in a regional cooncil election in Aiberdeen fan he said it.

Ah, but 'at's the wye it starts, Bunty. 'At's the wye Hitler got in. An' dinna ask me fit ward he's a cooncillor for. Fa's oor candidate onywye? I hinna seen nae leaflets.

No. The leaflets a' came in on the same day.

So?

Well, it wis the day o' the waste paper collection, an' it seemed too good a chance tae miss.

So I never got a chance tae read them? 'At's great, 'at, Bunty. I mean, there's dedicated party workers hiv pit hoors o' effort intae that leaflets. Ye micht at

134

least let folk read them. We dinna even ken wir candidate's name.

His Frunkie Webster nae been spikkin' tae ye aboot the elections? He wid ken fa oor candidate is.

Well, Frunkie's in a bit o' an ill ta'en iv noo, Bunty. He'd a couple o' bad blows last wik. On Setterday nicht he went oot in his new outfit an' a lot o' folk thocht he wis a student an' offered him money. An' then there wis his TV debut. He's real cut up aboot 'at. An' of course I pit my fit in it. I says til him last Friday, 'Well,' I says, 'how's the star o' Question Time?'

An fit did he say?

I couldna repeat it, Bunty. Nae even in this room that sees Spittin' Image every Sunday. He wis still absolutely furious aboot neen o' his questions bein' ta'en. He's sure he wis gagged for poli'ical reasons.

Fit questions did he pit in?

Well his first een wis: 'Do the panel agree that sellin' Norco Hoose tae Bredero is a poor do? and should not this sale by the Copie be checked?'

Well, I've never heard question aboot a Copie check on Question Time. Nae wonder it wis thrown oot. Fit else did Frunkie ask?

'Assuming a clean bill of health, what team should Fergie pick for the Cup Final next wik?'

That wis a better question, now.

I'M A DONS FAN. I OFTEN HA'E A PINT WI' DOUG ROUGVIE DOON IN LONDON.

Aye. Robin Day wis keen tae tak' 'at een. He's a Dons fan, ye ken. He often has a pint wi' Doug Rougvie doon in London. But fit really annoyed Frunkie wis his third question nae bein' ta'en.

Fit wis it?

'In a modern civilised society should computer bookin' be banned?'

Computer bookin'?

Aye. Frunkie an' Dolly had a bad experience last wik. They went tae the district cooncil's new computerised bookin' office in the Music Hall, asked for twa tickets for the Robbie Shepherd Show an' came awa' wi' nine holes o' golf at Hazleheid.

But Robin Day didna tak' that question either. A peety, 'at.

I'm nae sure it wis Robin that wis in charge o' the questions, Bunty. I mean, the thing wis held in the university, so I should think the principal had a big say in fit questions they took.

I must say I wis disappinted wi' Question Time. On the whole, ken?

I ken fit ye mean, Bunty. It was affa low key. Nae enough questions. An' nae big guns on the panel like ye get in London.

It wisna sae much that. No, I kept hopin' I wid see somebody I kent in the audience, an' I didna ken onybody. Except Frunkie. An' ye only saw him for aboot a second fan the fat wifie in front o' him turned roon' tae scowl at the boy wi' the beard at the back. 'Ken? the boy that got the row fae Robin for mak'in' a speech. I'll tell ye fit I did like, though, Dod.

Fit?

The wall panellin' ahin' the speakers. It wis very nice, I thocht. I wis wonderin' aboot it for oor livin' room.

Well, it wid mak' a change fae the anaglypta, Bunty. Which reminds me. Far's the paper?

No. We're ga'n' tae this election meeting first. Here's yer bunnet.

A' richt. But it's a bit feel. We dinna even ken wir candidate's name. We hinna got his leaflet. We're nae even sure he *is* a he. We're ga'n' along tae hear this bloke an' we've got less information aboot him than the Russians hiv let oot aboot their nuclear reactor disaster.

Goalden boys paint town red

THE scoring aces in the pack . . . Hampden goal heroes John Hewitt and Billy Stark are joined on the balcony of the Town House by manager Alex Ferguson and Lord Provost Henry Rae.

For more stories and pictures see 'Northern delights' — Page 12 and 'Hero John is ready to sign on' — back page.

I'm nae cuttin' 'at grass. It could be radioactive.

Far's the paper?

Here ye are. It's a' yours. I'm awa' tae get ready tae ging oot. I'm baby-sittin' the nicht.

Again? That's the fourth time since Michelle got hame fae the hospital. I mean, if young folk ha'e bairns they should realise they've got responsibilities. They canna jist ging oot every nicht like they used til. I mean, fan Gary an' Lorraine were bairns, we jist didna *get* oot.

Ye mean I didna get oot. You aye seemed tae ha'e an affa lot o' urgent meetin's. Ach, I enjoy baby-sittin'. It's jist I've been unlucky the first three times.

Oh?

Aye. Tracy's never woken up – I've never had tae lift her. I'll maybe be luckier the nicht. You've plenty tae dae fan I'm oot. The grass is needin' cuttin'.

I'm nae cuttin' 'at grass. It could be radioactive.

Awa' ye go.

Look – fit fell on 'at grass last wik? Rain. An' ye dinna ken far 'at rain's been. The public's nae bein' kept properly informed, ye ken, Bunty. But there's a lot o' the fermers keepin their coos inside. . . .

In the hoose? Gad sake.

Dinna be feel. Fit I'm sayin' is, they're nae lettin' the coos eat the grass.

I'm nae askin' ye tae eat the grass, I'm askin ye tae cut it.

137

I canna cut it the nicht. I've got my sick visitin' tae dae.

Sick visitin'? Fa's sick?

Frunkie Webster. Well, he's nae sick, he's ill.

He wis sick fan I saw him last Friday. Efter the district cooncil election results.

Aye, it wis a bit o' a shock. Funcy a hung cooncil.

Aye – I div funcy a hung cooncil. Some o' them should hiv been hung lang ago. Well, ye've said that yersel', Dod.

Richt enough. An' fit aboot the regional cooncil? Fit a shambles 'at's ga'n' tae be. A sorry mess. I mean, it wis a sorry enough mess afore. It'll be an even worse mess without Sorrie. Oh! Sorry. Jist a wee joke, Bunty. I think I'll try it on Frunkie. He could dae wi' a few laughs.

Fit's adae wi' him?

He says it's bronchial pneumonia. But I think it's a caul'. He got it at the wikend. He'd a terrible wikend a' the gither.

Oh, G'wa'. He must hiv enjoyed the match. I mean, I'm nae an expert on fitba'. . . .

Well, neither's Frunkie.

. . . but I enjoyed it on the TV. Ye ken you've telt me there can be a lot o' luck in Cup Finals?

Aye.

Well, I thocht Hearts were lucky. It could hiv been six.

Richt enough, Bunty. Ah weel, but Frunkie wisna sae lucky. On the wye doon tae Glesca in the minibus there wis a great tailback jist ootside Dunblane. We

KEN FIT THIS IS? A SORRIE MESS.

were hardly mak'in' ony progress at a', an' of course Frunkie had tae get oot.

He didna ha'e *tae get oot.*

Bunty, I can assure you he *did* ha'e tae get oot. There wis neen o' the rest o's wid hiv tolerated the alternative. Well, of course, as soon as Frunkie hid got oot the traffic started movin', an' we jist hid tae leave him.

Of course ye hid. Fit are freends for if it's nae tae leave ye in the lurch?

Exactly, Bunty. As the poet said, a friend in need is a bloomin' nuisance. Seriously though, we couldna stop an' hud up the traffic, an' we kent he wid get a lift.

An' did he?

Aye, he got a lift fae Ernie Chalmers. 'Ken Ernie Chalmers? Calsayseat Road? He'd got a lane o' a car tae ging tae Glesca.

Oh, that wis lucky.

No, that wis unlucky. Ernie wis ga'n' tae his uncle's funeral an' it wis naewye near Hampden.

So did Frunkie get tae the match?

He didna get there for the start. He got there in time for the fourth goal – 'ken? The een that wis disallowed.

Fit a shame.

But we'd a great nicht efter the match. He enjoyed the celebrations.

An' wis he doon at the Toon Hoose wi' ye on Sunday fan they brocht hame the Cup?

Well, no. This was it. Naebody had telt Frunkie that they werena tak'in' the cup tae Pittodrie like they used tae dae, an' he went doon there. Well there wis a wee doorie open an' he got in, and' got himsel' the best seat in the South Stand.

Well, there widna hiv been a lot o' competition for it on Sunday.

An' I telt ye he'd enjoyed the celebrations on Setterday nicht? Well, he hidna really get ower them, an' he fell asleep. An' that's far he got the caul'. He wis feelin' terrible on Monday.

It's funny, sae wis I Dod. I felt I wis ga'n' tae faint. Ken? Like Princess Di.

Fit? For anysake, Bunty. Dinna tell me.

We go it alone!

Labour power plan in new Grampian set-up

BY COLIN CRAIG

GRAMPIAN'S Labour group plan to seize power in the region.

And today Labour group leader Bob Middleton pledged that the party would go it alone — and ruled out the possibility of a coalition deal with any of the other parties.

The 17-strong group plan to take the chair in all committees and offer other parties seats in direct representation to the number of electoral areas they gained at the polls.

Councillor Middleton emphasised any meeting with other parties would be simply to unveil the Labour plan for power.

Mr Middleton also hinted at possible confrontation with the Government over the group's council spending plans.

Grampian Regional Council Labour Group leader, Bob Middleton, flanked by some of his 16 colleagues at today's Press conference.

Forty years she's been pittin oot her bucket on Mondays and Thursdays, an' suddenly it's changed.

Far's the paper?

Here ye go. I see Bob Middleton wid still like tae form a Labour administration in the regional coon-cil.

He's quite right, Bunty. Frunkie Webster says 'at's fit he wid dae if he wis in Bob's position.

Fit? Even though only 10% o' the electorate voted Labour? Far's yer democracy noo?

'At still gi'es Bob mair supporters than Mrs That-cher's got left in the 'hale country. An' *she's* **cairyin' on, Bunty.**

Aye. Did ye see her spikkin' tae the Scottish Tories at Perth? Whippin' them up intae a frenzy. 'There are dragons to be slain', she says.

She's nae contemplatin' suicide, is she? Onywye, funcy spikkin' tae folk in Perth aboot killin' dragons. It wis St George that killed the dragon, nae St Johnstone.

I wis watchin' the conference on the TV an d'ye ken fa I saw? Alec Douglas Home. He got a great ova-tion, Dod.

Well, he's aboot the only boy the Tories hiv got left that they can gi'e an ovation til.

I aye thocht he wis a fine enough mannie. But he's affa thin, Dod. He mak's Princess Di look like Bernard Manning.

I'll say this for Maggie, Bunty. She looks weel. I mean, ye'd think even she wid be lookin' a bit wor-ried by this time.

I ken. Education strugglin', the health service, ship-buildin', mair unemployment.

Never mind, Bunty. Inflation's doon tae three per cent.

Oh well, that's the main thing.

Aye. It fairly improves the quality of life tae ken that things arena' ga'n' up sae fast. An' spikkin' aboot things nae ga'n' up, fit aboot the thoosand redundancies in British Caledonian? Ye ken fit that's wi', Bunty. That's wi' a' the Yanks bein' feart tae come ower here for their holidays this year.

Includin' Maureen an' Joe in Philadelphia.

Eh?

There's a letter fae Maureen the day sayin' they'd been plannin' tae come ower an' bide wi' us durin' the Trades Fortnicht fan you're on holiday, but they've ta'en caul' feet an' decided nae til.

Well, Bunty, I never thocht we'd ever ha'e onything tae thank that eejit Gaddafi for, but it jist shows ye – it's an ill wind that has no silver lining.

Now, Dod, that's nae wye tae spik aboot my sister.

Well. They didna come ower for Lorraine's weddin' last year, did they? But they were ready tae come ower an' scrounge free digs now that her bedroom's available.

That wis a nice evenin' we had wi' Lorraine an' Alan last Wednesday, wis it?

141

Very nice, Bunty. Even though we did ha'e tae watch Coronation Street.

Well, me an' Lorraine couldna miss it. I jist didna believe Susan Barlow wid merry Mike Baldwin. I wis sure something wid happen tae stop it.. Oh, me! I hope it works oot a' richt for them. But I'm some feart. Well, ye ken fit they say: 'Change the name, but nae the letter, change for the worse an' nae the better'.

Fit ye spikkin' aboot?

Well, a lassie ca'd Barlow merryin' a bloke ca'd Baldwin – she changes her name but nae her initial, an' there's an aul' superstition that says fan that happens the merriage winna work.

Fit a lot o' rubbish.

Well, we'll see foo Mike an' Susan get on. But I'm tellin' ye Dod, I'm real worried aboot them.

For ony sake, Bunty, it's only a story. I wish ye wid get as het up aboot things that happen in real life – like yer mither bein' in a state o' acute psychiatric disorder.

Awa' ye go. There's naething wrang wi' her.

Bunty, yer mither's up tae the ninety-nines. An' nae wonder. Forty years she's been pittin' oot her bucket on Mondays and Thursdays, an' suddenly last wik she gets a notice sayin' it's ga'n' tae be changed tae Tuesdays and Fridays.

There's a lot o' ither folk got the same notice.

An' neen o' them wis happy aboot it, Bunty. A change like 'at – it must seem as if yer whole way of life is under attack. An' for an aul' craitur like yer mither it must be absolutely trauma'ic. I'm surprised ye dinna see that, Bunty.

I suppose ye're richt. An' it certainly didna help fan the notice said that the change fae Thursday wid tak' effect on Friday, an' in the end o' the day her bucket wisna emptied on Thursday or Friday. In fact, I dinna think it's been emptied yet.

However, Bunty, the news aboot the buckets wisna the worst news o' the wik.

No. That wid hiv been fan we heard aboot Neale Cooper an' John Hewitt wintin' awa'.

There wis worse than that.

Kenny Dalglish's injury?

Worse than that, Bunty. On the same day that I heard that Kenny wisna ga'n' tae Mexico I heard that Archie MacPherson wis.

Region power play ends with independent convener

DRAMA AS MINNOWS TAKE OVER

By VIVIENNE NICOLL

THE minority groups in Grampian Region today dramatically snatched control of the council.

Following a nail-biting climax to the regional elections the Alliance, SNP and three independents now hold the vital two top jobs as well as each committee chairmanship and vice chairmanship.

The new regional convener is independent Geoff Hadley with his vice convener Liberal group leader David Anderson.

An attempt by the Labour group which is the largest single party on the council to take control of the authority left at the first hurdle.

And it resulted in Labour group leader Bob Middleton warning the 37-strong council was sitting on a time bomb.

Mr Middleton was proposed for council convener by his long term Labour colleague Eric Hendrie.

Councillor Hadley was proposed by Liberal David Anderson and the nomination was seconded by the SNP's Bill Clark.

In spite of being hotly tipped for the job Geoff Hadley today confessed he was surprised to

Stephen (Alliance), planning property and development. Laura Hutcheon (Alliance), social work. Will Maitland Alliance, transport and roads. Bill Grant (SNP) public protection. Hugh Mann (SNP) manpower. Jim Donaldson (Alliance) finance and Harriet Watt (SNP) education.

On the 30 top jobs of convener, vice convener, chairman and vice chairman the Alliance hold 10, the SNP six

New seats of power

Latest region line-up —
turn to page 6.

Grampian Regional Council's new convener, Dr Geoff Hadley, with his chain of office, after his appointment.

He wis in the Race Against Time – closin' time.

Far's the paper?

Here ye go. I'll let you ha'e it first. I've got a bit o' a conscience efter ga'n' awa' tae Edinburgh for the wikend an' leavin' you tae bothy.

Dinna blame yoursel', Bunty. An' dinna forget I wis six years in the BB. So I can be totally self-sufficient if I hiv tae be.

Ye mean ye didna need tae ask onybody the wye tae the chipper.

Now, now, Bunty. dinna be nesty. I didna grudge ye yer wikend awa'. Fitever privation I wis sufferin', a' that mettered tae me wis that you wis enjoying' yersel'. Awa' wi' yer darlin' grand-daughter.

I wis really touched that Gary an' Michelle took me wi' them.

Fa wis it they were showin' aff the bairn til?

Michelle's chum – Kirsty Taylor. She's nursin' at Bangour.

Oh, aye. I ken her aul' man – Davy. In fact I saw him on Sunday – rinnin'.

Wis he in the Milk Marathon?

No. He wis in the Race Against Time – well, in his case, the race against closin' time. He thocht he

wisna ga'n' tae mak' it tae the Ferryhill Hoose hotel afore it shut.

I wis jist thinkin', Dod, if I hidna been awa', you an' me could hiv deen weel in the Milk Marathon. There wis a special prize for the first merried couple tae be finished.

The first merried couple tae finish, ye feel.

Oh. 'Cos I wis ga'n' tae say me an' you wid hiv been finished efter the first 50 yards.

Spik for yersel', Bunty. I wis a pretty good cross-country rinner in my BB days.

Well, Tracy must tak' her lungs fae you. Fit a bawlin' she wis ha'ein' on Setterday nicht fan I wis lookin' efter her. Fit a rare nicht I hid wi' her, though. An' fit a rare efterneen I hid at the shops. I wis at that place that's comin' tae Aiberdeen.

Joe Louis's?

I'll tell ye this, though, Dod. Tracy's maybe got your lungs, but she's certainly got Michelle's eyes an' colourin'. So she's ga'n' tae be really bonny. An' she's got Gary's ears an' her ither Granda's chin.

Fa's nose his she got? Fit member o' the femily's walkin' aboot withoot a nose?

Now, Dod. Dinna be childish. She's got a cute wee nose.

Cute? I think it's funny.

It is not. A bittie unusual maybe, but certainly nae funny. It's very distinctive.

Quite right, Bunty. It's an absolute one-off, that nose. In which respect it's like the Shakkin' Briggie.

YOU LOOK AS IF YOU WOULD COLLAPSE IF CHARLES AND DI BROKE A BOTTLE O' BUBBLY OWER YE.

Did ye see there's tae be nae preservation scheme for the briggie, Bunty? The cooncil are ga'n' tae allow it tae deteriorate an' slip quietly intae the Dee.

It's been deterioratin' for years, 'at briggie.

Ah, but now it's officially deterioratin' Bunty. I should think the cooncil will celebrate that by ha'ein' Charles an' Di alang tae brak' a bottle o' bubbly ower it.

I see the regional cooncil hiv picked their new convener. Hadley is it? He's a botanist.

'At's richt. He kens a lot aboot grass. An' he plays cricket.

Sounds a bit like Ian Botham. But ken 'is, Dod? I quite like the look o' this Hadley bloke. It's funny, 'cos I dinna usually like mannies wi' beards.

For ony sake, Bunty. 'At's typical o' you. Ye're aye makin' superficial judgements. I mean, fit his beards got tae dae wi' the intrinsic worth o' a human bein'?

Oh, beards his got a lot tae dae wi' it.

I mean, if ye hiv a general antipathy towards the facially hirsute. . . .

Eh?

If ye dinna like boys wi' beards. . . .

Oh.

. . . that means you widna hiv liked Shakespeare, or Abraham Lincoln, or Jesus, or – or – or my Uncle Hughie in Craigellachie.

Well, there ye are. That proves it. Naebody likes yer Uncle Hughie in Craigellachie. I certainly canna stand him.

Well, it's mutual, Bunty. He canna stand you. Even though ye hinna got a beard.

He's aye been a nesty bit o' work, that Hughie. An' ken fit I think, Dod? I think he grew that beard tae divert attention awa' fae his nose. It's the queerest lookin' nose I've ever seen. Maist peculiar.

Bunty, I'm jist picterin' Uncle Hughie's nose tae mysel', an'. . . .

And?

Ye're nae ga'n' tae like this, Bunty. But I ken fa Tracy tak's her nose fae.

Rubber Shop to close

Kenny Dalglish cried aff at the thocht o' appearin' in 'at striped briks.

Far's the paper?

Jist a minute. I'm readin' this letter aboot the poor acoustics at the Music Hall.

Poor acoustics, Bunty? Surely not. There's been three million quid spent on 'at Music Hall. I bet the acoustics is as good as they are in this room.

Pardon?

Well, if ye winna gi'e me the paper, Bunty, far's my World Cup fixture chart? Twa matches the nicht, Bunty. Northern Ireland at seven o'clock and England at eleven o'clock.

For ony sake, ye'll be shattered. Ye winna be fit for Scotland's match the morn.

No, no. I'll be a'richt, Bunty. I'll be ha'ein' a fitness test at The Grill an hoor afore the kick-aff. An' then we're a' ga'n' tae watch it at the Bilermakers'. Frunkie Webster's ga'n' tae ha'e blue an' white rosettes for a'body.

Frunkie dishin' oot blue rosettes? Changed days.

Aye, they're a job lot he got cheap efter the municipal elections.

Well, I dinna mind the rosettes bein' blue an' white, Dod. Fit I canna stand is the Scottish players' briks bein' blue an' white. Fa's idea wis 'at blue stripe on their briks? Fit a mess. Fit a track they are. I think 'at's the wye Kenny Dalglish cried aff. I dinna think

146

he's injured. I think it wis the thocht o' appearin' in 'at striped briks.

I must admit, Bunty, I wish it wis Engated that had a feel stripe like 'at on their briks.

I liked the Italian team on Setterday nicht. They were smart, now. And they'd lovely tans, hid they?

So ye kept sayin' a' through the match. I couldna concentrate on assessin' the tactics and the finer pints o' the game. I'll tell ye this. It's a different game fae fit I used tae play for Hilton School at the Nelson Street fitba pitches.

Wis the Hilton School team nae like 'at? Did they nae ha'e a slow build-up?

No. We'd a slow centre-half an' an even slower ootside richt, but nae a slow build-up. We did ha'e a tactical plan, though. Dunter Duncan wid belt the ba' up the pitch an' the rest o's wid rin efter it.

So Dunter got mair kicks at the ba' than onybody else?

Well, it wis only fair, Bunty. Hilton School got their fitba's fae the Rubber Shop, an' we got discount because Dunter's mither worked there.

Well, nae for much langer, Dod.

Oh, nae *ony* langer. She's been awa' fae the Rubber Shop for 20 years. An' Dunter's been awa' fae Hilton School for 40. I may say, Bunty, as seen as Dunter had left the school discount stopped.

No, no. Fit I mean is, the Rubber Shop's closin' doon.

It's nae, is it? Fit next, Bunty? I'll tell ye — it'll be the university next, an' it's been on the go nearly five hunner years....

I'M ENJOYIN' IT THIS YEAR — I CANNA HEAR A BLOOMIN' THING.

Michty, 'at's aboot as lang as the Jack Sinclair Showband.

Did ye see the university got a nesty letter fae the UGC – div ye ken fit the UGC is, Bunty?

For ony sake, Dod. A'body kens fit the UGC is.

Funny – that's exactly fit the principal said last wik. Onywye this letter criticised a lot o' the departments for nae bein' cost effective.

Well, the students are pretty cost effective. Sixty-seven thoosand they raised for charity. Full marks tae them, even if they div fail their exams.

Spikkin' aboot bein' cost effective, Bunty, that must have cost Alan a bob or two, that meal on Setterday nicht.

I ken. I feel a bit guilty. I mean, it wis very nice o' him an' Lorraine – but for their first anniversary there wis nae need for them tae tak' us wi' them.

I noticed ye enjoyed yer lobster, though, Bunty.

Aye. I'd a job though. I didna like ha'ein' tae choose it oot o' the tank. An' a' the time I wis eatin' it, I kept thinkin' aboot it fan it wis alive.

I ken fit ye mean, Bunty. It's funny – ye never ha'e that problem wi' a smokie, div ye? Or a kipper.

It wis quite a wikend for the femily, wis it, Dod? Lorraine an' Alan's anniversary, an' Tracy's christenin'.

An as you rightly said, Bunty, a'thing aye comes in threes.

Aye, but I really got a shock at the third een.

Gary an' Michelle gettin' engaged? Aye, the minister got a shock as weel, fan they telt him aboot it efter the christenin'.

Our luck's right out — Fergie

Emlyn'll maybe improve eence his voice braks.

Far's the paper?

Here ye go. An' here's yer slippers. An' here's a cup o' tea. An' ye've anither World Cup match comin' up in half an hoor. Michty! Fit a lovely picter ye mak': 'Heaven on earth.' I wish Mrs Thatcher could see ye.

Mrs Thatcher! Did ye see Tam Dalyell wis ga'n' tae be gettin' efter her, but he never got a chance 'cos the Tories did a filibuster.

Are they allowed tae dae 'at?

Oh, aye. It's ca'd freedom of speech, Bunty. It's fit life in this great democracy of oors is a' aboot.

Fit exactly is a filibuster?

Well, it's fan ye get a bunch o' mannies that ging on an' on spikkin' aboot the same thing.

Like the TV experts on the World Cup? I dinna like yon Lou Macari. He's aye against the Aiberdeen lads. I liked the boy Bremner. But, oh – nae Emlyn Hughes. I canna be dae'in' wi' him.

Och, Emlyn'll maybe improve eence his voice braks.

I'm sorry for that Mick Channon. They shouldna pit him on for a World Cup. He his an affa job pronouncin' some o' the names.

Aye. Lineker, for instance. Never mind, we've hid some good nichts already, Bunty. England gettin' beat fae Portugal – I think 'at's been the highlight so far. Mind you, Scotland losin' tae Denmark the next day – that took the gilt aff the gingerbreid a wee bittie.

I wis a bittie sorry for England against Morocco, Dod.

Fit?! Get a grip on yersel', Bunty. Fit kind o' atti-

149

tude's 'at? I never thocht I wid hear that kind o' thing fae a wife o' mine.

Well, it wis a disappintin' result, Dod.

It certainly wis. I wis hopin' Morocco wid hammer them.

Peer Bryan Robson.

Oh, I'm sorry for Bryan, Bunty. But really, he's ower much o' a risk. Well, ye ken yersel'. Fit did you say fan they were tossin' the coin afore the start o' the Portugal game? You said, 'Dinna shak' hands wi' the ref, Bryan, ye'll maybe damage yer shoo'der'.

Well, 'at's richt. They should let somebody else toss the coin an' shak' hands wi' the ref. An' then, of course, fan Wilkins wis sent aff. . . .

Oh, yon wis pathetic, Bunty. He didna even mak' a good job o' throwin' the ba' at the ref. I mean, if Willie Miller or Roy Aitken had thrown the ba' at

FOR ONY SAKE, BRYAN. I TELT YE YE'D DAMAGE YER SHOO'DER IF YE SHOOK HANDS WI' THE REF.

the ref, it wid hiv knocked him ower at least. It wid hiv been worth gettin' sent aff for.

I thocht Scotland did weel against West Germany.

Aye. Oh, for a bittie o' luck.

So ye think we're oot, div ye?

Never. All is not lost, Bunty. But we've got tae forget aboot a'body else an' really hammer Uruguay.

Well, we'll surely manage that. They're nae much eese, are they?

Nae much eese? They're only the South American champions.

Oh. Like Roberto an' Juanita Cassie.

Pardon?

Roberto an' Juanita Cassie. Well, Bob an' Janet Cassie. Rosehill Terrace. Mind? They were East of Scotland South American champions aboot 1962.

East of Scotland *Latin* American champions, ye feel.

Oh, aye. He wis really swack, Bob Cassie. He wis slim, but he'd a lovely physique.

Nae as lovely as 'at boys in the Body Beautiful competition last wik. Did ye read 'at article by yon Moreen Simpson lassie? It wis pretty spicy. I bet she's a richt raver.

Funcy her gettin' tae be a judge at 'at competition. I wish I'd her luck.

Luck, Bunty! That's fit it's a' aboot. I'm sorry tae come back tae the World Cup, but I'm pretty preoccupied wi' it iv noo. An' I jist feel Scotland are due a change o' luck. We'll maybe ha'e a bittie better luck against Uruguay.

Fan is the match against Uruguay?

Friday the 13th.